Personal Branding

Construindo sua marca Pessoal

arthur Bender

Personal Branding

Construindo sua marca Pessoal

INTEGRARE
business

Copyright © 2009 Arthur Bender
Copyright © 2009 Integrare Editora e Livraria Ltda.

Publisher
Maurício Machado

Supervisora editorial
Luciana M. Tiba

Coordenação e produção editorial
Estúdio Sabiá

Preparação de texto
Célia Regina Rodrigues de Lima

Revisão
Hebe Ester Lucas
Sílvia Carvalho de Almeida
Capitu Escobar de Assis

Projeto gráfico de capa e de miolo / Diagramação
Nobreart Comunicação

Foto de quarta capa
Alessandro Jacoby

Dados Internacionais de Catalogação na Publicação (CIP)
(Câmara Brasileira do Livro, SP, Brasil)

Bender, Arthur
    Personal branding : construindo sua marca pessoal / Arthur
Bender. – São Paulo : Integrare Editora, 2009.

    Bibliografia
    ISBN 978-85-99362-41-9

    1. Administração de empresas 2. Autoavaliação
3. Autorrealização 4. Marketing 5. Meta 6. Relações interpessoais
7. Sonhos 8. Sucesso em negócios I. Título.

09-07153   CDD-658.0019

Índices para catálogo sistemático:
1. Marca pessoal : Construção : Administração de empresas :
Aspectos psicológicos 658.0019

Todos os direitos reservados à
INTEGRARE EDITORA E LIVRARIA LTDA.
Rua Tabapuã, 1123, 7º andar, conj. 71-74
CEP 04533-014 – São Paulo – SP – Brasil
Tel. (55) (11) 3562-8590
Visite nosso site: www.integrareeditora.com.br

Dedico este livro à minha família.
A melhor família do mundo.
Paula, minha mulher, e meus filhos,
Enrico, Lorenzo, Nicolau e Fernanda.
Amo muito todos vocês.

Existem dois momentos importantes na vida de uma pessoa. O primeiro é quando ela nasce. O segundo é quando ela descobre para que veio ao mundo.

Criar valor para a própria marca é o nome do jogo.

Para ocupar espaços vazios, você precisa ter iniciativa.

Confiança é a palavra-chave. Sem ela, o resto não existe.

Concentre-se no que você faz de melhor. A sua chance está aí.

Agradecimentos

Não posso deixar de agradecer a algumas pessoas que foram muito especiais neste projeto: ao grande escritor, famoso e talentoso palestrante Beto Carvalho, que se tornou meu padrinho editorial. Foi ele quem me estimulou a escrever este livro depois de assistir a uma palestra minha. E também agiu como uma espécie de consciência, cobrando-me disciplina para aprontar tudo e ter coragem de entregar. Se eu tiver um décimo do sucesso dele como escritor e palestrante, já me sentirei um homem/escritor realizado. Agradeço ao Maurício, publisher *da Integrare Editora, que acreditou neste projeto e o incentivou, porque sem ele este material continuaria como um rascunho nos meus arquivos por mais alguns anos. Sou grato também a Simone, minha secretária, que se empenhou como nunca ao lidar com muitos arquivos e cópias e não parou de me pressionar enquanto não finalizasse tudo. Finalmente, agradeço à minha mãe, Zilá, que, embora hoje more a quase 2 mil quilômetros de distância de mim, plantou sementes na minha educação de criança que sempre me motivaram a novos projetos e grandes desafios. E a meu pai,* in memoriam, *que possuía muitas habilidades e, entre outras coisas, semeou em mim a paixão por ler e escrever alfabetizando-me aos 4 anos em casa.*

Pare de ser tão normal. Ser normal é ser mediano. E a medianidade só levará você a viver e a ganhar na média.

O segredo é pensar como empresa. Um empreendimento chamado você.

Você já pensou porque o mercado escolheria você?

Não existe paraíso para quem não sabe do que gosta. Você sabe?

Imagine fazer aquilo que gosta e ainda ganhar para isso.

Acredite na sorte, mas jamais dependa dela. Tome uma atitude hoje.

Advertência

Antes de você começar a ler, sou obrigado a fazer uma séria advertência. Embora este livro possa ser enquadrado como de autoajuda, devo adverti-lo de que com ele você certamente não pulará da cadeira nem levantará as mãos ao céu, sentindo-se invencível. Pode acontecer o contrário. Em várias passagens, você não derramará lágrimas imaginando como é poderoso. Talvez derrame lágrimas de revolta e fúria. A trilha sonora de fundo desse papo não é da Enya, desculpe (como em muitas palestras chorosas e melosas de autoajuda). Ela está mais para punk rock do que para música de consultório médico ou de massagem. Você não ficará nem um pouco calmo. Em alguns momentos, terá muita vontade de jogar este livro contra a parede (espero que a edição resista) e, em outros, vai querer bater com a cabeça na parede (não faça isso, por favor). Meu objetivo maior é incomodar você com suas próprias reflexões. É deixá-lo, por vezes, furioso – consigo mesmo. É questioná-lo. É fazê-lo pensar. E, com isso, sacudi-lo para a realidade e ajudá-lo. Bom, você foi advertido. Se quiser continuar, é por sua conta e risco. Não me culpe depois.

Que **adjetivo** andam **espalhando** por aí sobre você? Você **não sabe**?

Não culpe ninguém. Só **você** é **responsável** pelo **sucesso** ou fracasso da sua **marca pessoal**.

O **conhecimento** é a **base** igual para todos, **mas** é a **paixão** que traz brilho aos olhos que vai **tirar** você do mar da **medianidade**.

As **estrelas** são disponíveis. Os **medianos nunca** podem. **E você?**

Desprenda-se do seu **cartão** de **visitas**. **Cargos** e empresas são **temporários**. A **reputação** da sua marca é muito mais **importante**.

Mensagem da
Parceiros Voluntários

"Confiança é a chave para a reputação." Com esta pequena frase, Arthur Bender já nos apresenta um norte a seguir rumo à construção da nossa própria identidade no trabalho e, por consequência, na vida. Construção em cima de um emprego, uma carreira, uma missão. O dueto confiança-reputação é uma balança: não pode haver desequilíbrio.

A ONG Parceiros Voluntários, com sede em Porto Alegre, vem por mais de 12 anos trabalhando com essa harmonia. Ela estimula, capta, capacita e encaminha voluntários às organizações sociais carentes para trabalharem com o produto que faz o mundo: as pessoas. Hoje são 300 mil voluntários que dedicam seu tempo, seu conhecimento e sua emoção a transformar realidades e construir, na prática, a sua própria reputação.

São homens, mulheres e jovens que exercem diariamente a sua RSI – Responsabilidade Social Individual, princípio de todo o processo de mudança que resultará em uma pessoa melhor e, consequentemente, em um mundo também melhor. Tudo parte do ser humano, desde as guerras até os maiores feitos nos campos econômico, político, social, científico. A base da realidade na qual vivemos está em nossas escolhas, em como nos relacionamos com os outros. Na rotina do dia a dia, alicerçamos nossa reputação, que aumenta proporcionalmente na confiança depositada em nós pelos outros. Este crescimento também é fundamental para o fortalecimento do Capital Social de uma comunidade.

Outro ponto estimulado pela ONG Parceiros Voluntários é o trabalho junto aos jovens. Com o projeto Tribos nas Trilhas da Cidadania, crianças e adolescentes mergulham em projetos voluntários com aquela energia que somente a juventude tem, contagiando quem estiver por perto. Atualmente, mais de 100 mil jovens de todo o Rio Grande do Sul começaram a formar – mesmo sem se dar conta – a sua reputação, desenvolvendo a autoconfiança e mobilizando uma rede de solidariedade na escola, na comunidade e na família.

Prezado leitor ou leitora, se você também percebe o seu trabalho como uma missão e não apenas como um emprego, certamente se envolverá nele por inteiro. Vai sempre procurar chegar ao máximo do resultado. Porque missão é paixão interior, intuição, criatividade, realização pessoal. Dentro da missão, não pode ser esquecido que vivemos em rede e que as outras pessoas a nossa volta contribuem para o nosso grande objetivo, a nossa reputação e a nossa Marca. Nós precisamos dos outros, e eles de nós. Desde a construção de uma marca individual até projetos que transformam milhares de realidades. Colocar na sua vida o projeto de vida do outro já é um grande passo rumo ao seu crescimento, porque essa pessoa vai confiar em você e a sua reputação também depende disso. Trocar a pergunta "O que vou ganhar com isso?" por "Como posso ajudar?" já é um grande começo. Temos certeza de que, ao incorporar esta última ao seu cotidiano, estará somando uma importante característica a sua Marca.

Agradecemos de todo o coração ao escritor Arthur Bender por acreditar no trabalho voluntário e ser um praticante dele, percebendo-o como uma missão de mudança, de transformação do ser humano no campo espiritual e na vida cotidiana. Agradecemos também à Integrare Editora por trazer ao mercado uma nova proposta: temas e escritores escolhidos a dedo. E que cada autor seja um doador para um projeto social de sua escolha. Já você, leitor e leitora, desfrute da leitura, percebendo-se como um privilegiado, porque não somos nós que escolhemos o livro, e sim o livro é que nos escolhe. Neste mundo quântico, nada é por acaso!

Por fim, sabemos que nossas atitudes dizem muito sobre nós, como também sabemos que pensamentos tornam-se ações, ações tornam-se hábitos, hábitos tornam-se caráter, e nosso caráter torna-se nosso destino.

Um fraterno abraço da ONG Parceiros Voluntários e sucesso a todos os envolvidos.

Maria Elena Pereira Johannpeter
Presidente (Voluntária) ONG Parceiros Voluntários

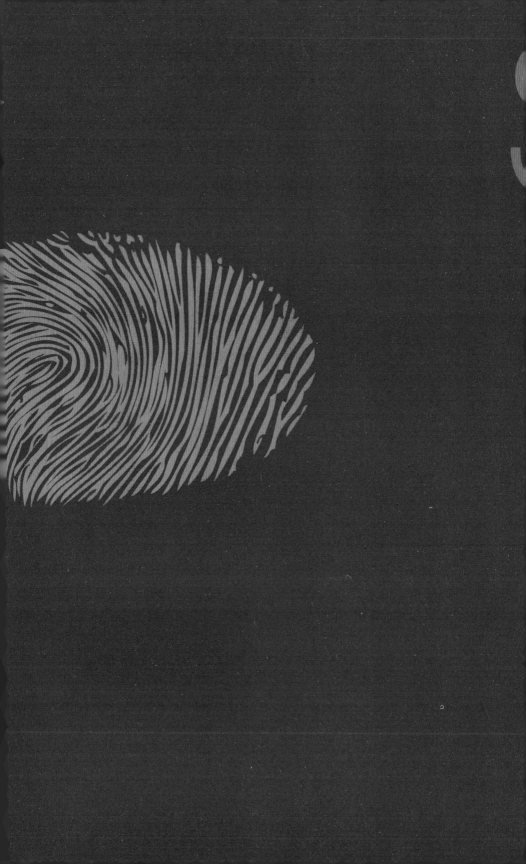

Sumário

Mensagem da Parceiros Voluntários 11

Introdução 17

Capítulo 1
Carreiras desgovernadas. Profissionais perdidos. Marcas pessoais sem valor 23

Capítulo 2
Você no controle do seu maior patrimônio, a sua marca pessoal 43

Capítulo 3
O poder dos objetivos 71

Capítulo 4
Agir como uma empresa ativista na construção e na gestão de sua marca pessoal 87

Capítulo 5
Conquiste poder para a sua marca pessoal 105

Capítulo 6
Estratégias para alavancar a sua marca pessoal 117

Capítulo 7
Estabeleça um foco para a sua marca pessoal 135

Capítulo 8
Conhecimento pessoal e percepção de marca 155

Capítulo 9
Estratégia para a sua marca pessoal 187

Capítulo 10
Construa valor por redes de contato 219

Capítulo 11
Dez leis que determinam a vida ou a morte para a sua marca pessoal 241

Capítulo final
Diferenciação ou extinção. Infelizmente, isso não é opcional 263

Introdução

ntrodução

Todos nós conhecemos profissionais brilhantes com uma carreira fantástica em que tudo parece sempre dar certo e as pessoas à volta morrem de inveja. A impressão que temos é que a sorte conspira a favor deles. Sempre recebem mais uma promoção. Em seguida, convites para uma nova empresa, melhor que a anterior, novos cargos, salários mais altos, sucessivos convites e assim por diante. A ascensão parece não ter fim. Esses profissionais estão sempre com um sorriso no rosto, falam orgulhosos de um novo desafio, da motivação com a empresa, com a carreira, com a vida, com as chances que estão surgindo, comentam como se sentem otimistas com os projetos para o próximo ano, com os objetivos que se propõem a alcançar, com um novo curso que farão, um novo desafio. Depois de algum tempo, estão melhores ainda. Parece que nada dá errado na vida deles e que o sucesso é inevitável onde quer que trabalhem. São sempre as estrelas do segmento.

Mas todos nós também conhecemos outro tipo de profissional (infelizmente, a esmagadora maioria) que parece empacado na vida. Para ele, as coisas nunca dão certo. É a empresa que passa por dificuldades, a recessão do mercado, aquele chefe estúpido que não dá oportunidades de crescimento e que nunca o reconhece como bom profissional, os clientes que são mesquinhos e por aí vai.

Um exemplo típico desse profissional: você o conheceu anos atrás e ele passava por uma crise. Dez anos depois o reencontra e ele continua na mesma situação ou pior do que estava. Ele lhe telefona para pedir ajuda e sair de nova crise. A vida e o universo parecem sempre conspirar contra ele, lutando para derrubá-lo. Nada dá certo e nunca vai dar. Ora a culpa é da recessão econômica, ora da crise no segmento em que trabalha. A empresa também vai mal e teve de despedi-lo. Mas ele está sempre no meio de um desses grandes problemas, e o resultado é que se sente injustiçado. Quando você pergunta como é que ele vai, as respostas são sempre as mesmas: "Estou na batalha!", "Estou na luta!", "Estou ralando!", "Não está nada fácil!". São suas expressões prediletas. E as queixas não variam: a mulher não lhe dava o devido valor, por isso está sozinho. O patrão, esse sujeito sem visão, promove todo mundo, menos ele. O chefe é totalmente inseguro e por isso nunca lhe dá oportunidade de provar seu valor. Nas reuniões de avaliação, é sempre o injustiçado. Em todas as empresas em que trabalhou sempre havia alguém para lhe "puxar o tapete", por isso não conseguiu decolar na carreira. As portas do mercado estão sempre fechadas. As oportunidades nunca são para ele.

Os amigos sentem pena. Tentam indicá-lo para aquela vaga disponível, mas alguma coisa sempre dá errado. Depois de um tempo, ele está ou deprimido ou estressado, com raiva de tudo. Então lhe diz que está a fim de demitir-se, de trocar de lugar, de chutar tudo para o alto. Às vezes, de tão decepcionado e deprimido, anuncia que quer mudar de profissão, que não aguenta mais tanta injustiça contra ele.

Seja engenheiro, professor, arquiteto, médico, publicitário, advogado, dentista, administrador, não importa a profissão, seu papo é sempre o mesmo: "Dei o sangue pela empresa e, na hora em que mais precisava, a empresa me virou as costas. Ninguém reconhece meu valor. O mundo é injusto. Fiz de tudo por aquela empresa e eles não tiveram o mínimo respeito comigo na hora de me demitir. Esse mercado não dá mais. Não aguento mais essa profissão". Esse é o tipo de profissional que passou a ter dor de estômago no domingo só de pensar na segunda-feira. Que só funciona no piloto automático. Para ele, trabalhar virou sofrimento, tornou-se um fardo pesado que traz estresse e desânimo pela falta de perspectivas.

Você deve estar se perguntando: qual é o problema? Não há nenhuma novidade nisso. O mundo é assim, uns vencem, outros fracassam. É uma questão de sorte! Uns têm, outros não. Existem uns poucos eleitos para o mundo das estrelas e uma enorme massa que vai morrer invisível, anônima e frustrada com a vida. É assim. Mas será que é isso mesmo?

Será que é somente a sorte que diferencia os profissionais brilhantes dos medíocres? Será que é isso que diferencia as estrelas dos medianos anônimos? Será que a sorte é para uns poucos e que nosso destino é ficar eternamente acuados na luta pela sobrevivência? Será que nosso destino é ficar vendo os outros vencerem? Será que o fato de se tornar um profissional desejado e disputado no seu segmento, alcançar a visibilidade necessária, virar uma estrela no seu setor, valer mais do que os outros, ser disputado no mercado de trabalho é mero fruto do acaso? Eu acho sinceramente que não.

Acredito em sorte, e ela ajuda muito, mas creio também em algo muito maior, que é tomar as rédeas da nossa vida. Acho que devemos parar de reclamar, pular do banco do carona e assumir a direção da vida. É possível melhorar de posição, conquistar espaço e brilhar em qualquer profissão e em qualquer idade. É possível vencer mesmo em mercados altamente competitivos. É possível mudar, alterar a rota, migrar, redirecionar-se, potencializar as oportunidades, reposicionar-se, gerar valor para si mesmo e perpetuar esse valor no mundo profissional. É possível chegar lá, não importa onde você esteja, desde que queira ir e saiba para onde. Desde que tenha atitude e coragem para mudar.

Se você acredita nisso também, ótimo! A proposta deste livro é não contar apenas com a sorte. É incentivar os profissionais de qualquer área a ativar os mecanismos de alavancagem, reposicionamento e gerenciamento eficaz de sua própria marca. Chamamos isso de *personal branding*, ou seja: você controla a gestão de sua marca.

Neste livro você encontrará propostas objetivas para administrar e potencializar sua imagem de marca pessoal, ampliar seu valor no mercado e construir aquilo que é mais sagrado no mundo das marcas: reputação. Também encontrará ferramentas, técnicas, dicas e sugestões para que você se repense, se reimagine, se reinvente e se aproxime mais dos seus sonhos profissionais. Mas, acima de tudo, ofereço a você um momento de reflexão sobre esses sonhos e o que deve fazer para transformá-los em realidade. Além disso, apresento as respostas para as seguintes perguntas:

- Como avaliar a imagem percebida da minha marca pessoal?
- Como migrar da atual posição para uma melhor?
- Como dar os primeiros passos para construir uma nova posição?
- Como diferenciar minha marca pessoal e tornar-me único no segmento?
- Como trabalhar a visibilidade e criar mais valor para minha marca pessoal?
- Como estabelecer um posicionamento para minha marca?
- Que estratégias são possíveis? Que métodos e ferramentas táticas posso empregar?
- Que atitudes podem fazer toda a diferença para melhorar minha reputação?
- Como posso fazer um plano estratégico para minha marca pessoal?

Se você está feliz com sua vida, satisfeito com sua atual posição no mercado, sente-se reconhecido pelo seu talento e acredita que já atingiu tudo aquilo com que sempre sonhou, ótimo! Você não precisa ler este livro. Mas, se não está satisfeito e acredita que pode melhorar ainda mais, faça como o técnico do time New York Jets, Bill Parcells, que escreveu um cartaz no vestiário do seu clube com a seguinte frase: **"Não culpe ninguém! Não espere nada! Faça alguma coisa!"** Isso mesmo. A responsabilidade é totalmente sua. A partir de agora, você está condenado à liberdade de escolhas. Então, vá em frente. Esse pode ser o primeiro passo para a sua grande virada profissional.

Boa leitura.

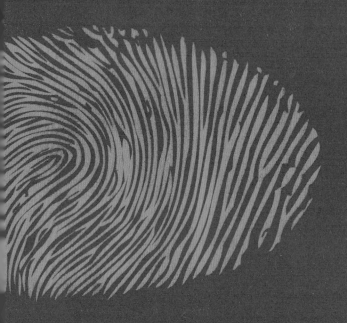

Capítulo 1

arthur *Bendee*

arreiras desgovernadas.
Profissionais perdidos.
Marcas pessoais sem valor

A constatação é triste. Mas a grande e esmagadora maioria dos profissionais em quase todos os níveis, idades e fases da carreira sofre do mal de não saber gerenciar sua jornada profissional. São pessoas habilidosas, muitas com grande preparo, dedicadas e estudiosas, mas que em certo momento da vida percebem que perderam as rédeas da carreira e que ela correu solta, para lugares e situações não planejadas.

"Quem não sabe para onde quer ir, vai parar em qualquer lugar."

Na verdade, mais do que não saber gerenciar, muitos não têm a mínima ideia do que estão fazendo com sua marca pessoal nem para onde a carreira os está levando.

Ao longo dos anos, tenho constatado como tem sido alto o preço a pagar para aqueles que permitiram que sua carreira andasse ao sabor do vento, sem controle ou com o controle de terceiros, com objetivos e interesses que na maioria das vezes vão contra os seus próprios.

Carreira medíocre e vida frustrada

Essa negligência com a administração da carreira tem sido a fonte de vidas frustradas, de profissionais anônimos, medíocres e, o pior, extremamente infelizes com o que fazem todos os dias.

Boa parte dessas pessoas acreditou que, ingressando numa boa companhia, numa grande empresa, as coisas ficariam estabelecidas e deixou tudo correr. Outros sempre esperaram o reconhecimento que deveria ter havido e não houve, foram surpreendidos por processos de reestruturação, cortes e enxugamentos e, quando caíram do pedestal, já era tarde demais.

Tenho encontrado carreiras descontroladas e sem gerenciamento em todos os níveis e etapas. Como professor, vejo estudantes totalmente indecisos com o que de fato querem fazer e que preferem esperar até terminar o curso para pensar. Vejo também profissionais que acabaram de ingressar no mercado, recém-formados, com todo o gás possível, mas completamente perdidos com o destino de suas marcas e carreiras.

Muitos deles estão cheios de sonhos, mas sem nenhum objetivo concreto nem ideia alguma da estratégia que utilizarão para realizar esses sonhos. Não conhecem o mundo fora da universidade, com uma competição extrema, cheio de excessos, com milhares de candidatos qualificados e uma disputa não muito justa.

Os mais esclarecidos, com condições financeiras para isso, apostam na qualificação. Partem para especializações, dominam mais de um idioma, sentem-se preparados. Acreditam que rechear o currículo com bons cursos, às vezes com mais de uma especialização, será a garantia do futuro e de uma carreira brilhante.

Mas a dura realidade é que o currículo impecável, o domínio do conhecimento básico na profissão, o conhecimento profundo de um ou mais idiomas serão como comprar ingresso para entrar no estádio, nada mais. Isso não é nem nunca foi garantia de poder jogar o jogo. E é aí que a gente percebe a diferença entre os que estão conscientes do seu papel como gerenciadores de marca e a grande maioria que simplesmente entra no estádio.

Confiança é a palavra

Numa sociedade repleta de opções a fazer todos os dias, com milhares de marcas brigando ferozmente pela nossa atenção no mercado, a confiança é um ativo crucial para marcas tanto corporativas quanto pessoais. Por quê?

Porque somos massacrados por um incontável número de informações diariamente. Temos muito menos tempo e um número incrível de coisas a fazer, opções e decisões a tomar. Nosso raciocínio sobre essas escolhas diárias é o de fazer descarte o tempo todo. É aí que confiança passa a ser um ativo VITAL para a sua carreira. E confiança não se compra, não se desperta de uma hora para outra, não se pede. Confiança se constrói a passos lentos, na direção certa, no mesmo sentido, acrescentando valor às percepções alheias. Essa é a essência do gerenciamento de marcas pessoais. Construir confiança na diferença que fizemos para o mercado na visão dos outros. Construir a percepção de valor por meio da confiança.

Se você não criou uma imagem de confiança até agora, prepare-se para viver tempos turbulentos, porque confiança é a chave para a reputação. E, num mundo complexo com muitas alternativas, a escolha óbvia sempre será por quem construiu a melhor reputação.

A ilusão do cartão de visita

Como profissional de comunicação, ao longo desses anos, tenho encontrado ótimos profissionais, mas que também estão num completo descontrole em relação ao rumo de sua carreira. Alguns abdicaram de sua marca pessoal, adotaram o nome da empresa como sobrenome e durante muito tempo se orgulharam de pertencer à empresa tal.

Isso funcionava como um símbolo, um ímã, um abre-portas imbatível; mas, ao saírem dessas empresas, eles descobriram que o que lhes abria portas era o cartão de visitas da companhia, e não sua reputação como marca pessoal. E aí, muitas vezes, já era tarde demais para começar tudo de novo.

Você conhece alguém assim? Eu conheci vários. Num dia, é o todo--poderoso temido da empresa. No outro, NADA. Num dia, tem uma sala enorme, nome na vaga do estacionamento, secretária linda, muito assédio, bajulação e convites na sede poderosa da empresa. E, no dia seguinte à demissão, toda a magia do poder se evapora. Os amigos desaparecem e as portas se fecham. E revela-se a dura realidade do mercado: não era você que existia. Era a reputação da empresa que o sustentava!

Gerir o patrimônio dos outros e esquecer o próprio

Muitos deles são profissionais brilhantes de marketing, mas, quando se trata de administrar a própria marca, tornam-se péssimos gestores desse patrimônio. E, infelizmente, o mercado é implacável com a incompetência em marcas pessoais.

Esses profissionais, apesar de conhecerem os fundamentos do marketing e dominarem técnicas consagradas de construção de imagem de marca, esqueceram-se da própria. Muitos acreditaram que a empresa deveria ser responsável pela alavancagem de sua carreira e terceirizaram aquilo que jamais poderia ser terceirizado: o seu patrimônio de marca pessoal. Às vezes, por ingenuidade. Às vezes, por miopia. Outras, pelo ego enorme que não o deixa compreender quem você é por causa do brilho e do glamour da posição em que está. Por isso, é bom se perguntar: **Você é ou você está?**

Criar valor para a própria marca é o nome do jogo

Embora o tema "a marca você", criado e defendido pela primeira vez pelo genial Tom Peters, já possa ser considerado da "era passada" (entenda aqui era passada como os "longínquos" anos 90 do século passado), ainda estamos muito longe de compreender e aplicar na prática este fundamento: *personal branding*.

É hora, mais do que nunca, de sermos líderes de nossa marca, assumir o controle desse patrimônio, gerir nosso próprio destino, ser felizes realizando aquilo de que gostamos e recompensados pelo valor investido em nossa marca.

Neste livro, trabalharemos com questões simples, mas poderosas, do ponto de vista estratégico para quem quer ter o domínio desses movimentos e entrar para ganhar o jogo do seu segmento. E, apesar de serem o diferencial entre estrelas e profissionais invisíveis, são movimentos fáceis de ser implementados no tabuleiro do mercado. Nos próximos capítulos, discutiremos cada questão com profundidade, mas a pergunta básica para todas elas é: **aonde você quer chegar?**

Agora pare de ler e pense: há quanto tempo você não se faz essa pergunta?

Se você não sabe para onde está indo, vai parar em qualquer lugar e sua realização profissional será mero fruto do acaso. Alguns poucos, com sorte, têm sucesso, mas a maioria acaba em profissões e cargos de que não gosta, que nunca escolheu, fazendo tarefas que o deixam cada vez mais deprimido e com baixa autoestima. O tempo vai passando, a frustração aumentando, bem como a terrível sensação de que isso nunca vai ter fim e que você ficará esperando, ano após ano, que alguma coisa "milagrosa" aconteça para alterar essa rotina.

Sem ninguém no leme. Barco desgovernado

Trocar de emprego muitas vezes significa mudar de ares, mas funciona como jogar na loteria e pagar para ver. Uma nova empresa, um novo projeto, um novo desafio, uma nova aposta. Você muda de ambiente, renova a energia por um breve período, mas tudo volta à velha rotina de desencanto, simplesmente porque você continua a não saber para onde está indo. Pode-se dizer que é um profissional à deriva, com a carreira descontrolada. Não há ninguém no leme, o céu se fecha e a tempestade de mercado se aproxima. E o barco continua viajando sozinho.

Você acaba andando sem rumo, fica à mercê dos seus chefes, ao sabor dos ventos da economia, das empresas, dos amigos, das oportunidades, das crises. E sua carreira, sua marca pessoal, que deveria ser o mais importante para VOCÊ, é a única coisa que não está sob seu controle. É um paradoxo, mas é a mais cruel realidade.

Fazer aquilo de que gosta e ganhar para isso

Washington Olivetto, publicitário respeitadíssimo e reconhecido como um dos melhores do mundo, com mais de quarenta Leões em Cannes, é autor de uma frase brilhante a respeito do assunto, reproduzida no livro *Carreira e marketing pessoal*, de Alfredo Passos e Eduardo Najjar:

Cada pessoa nasce para uma coisa na vida, mas poucas têm a sorte de descobrir qual é essa "coisa", e por isso são poucas as que são felizes e bem-sucedidas em seu trabalho.

Essa é a dura realidade: poucos têm a sorte de descobrir qual é essa coisa. O difícil é se conformar com a ideia de que sua realização profissional e, consequentemente, sua realização na vida, depende da "sorte" e do acaso.

Nas palestras que faço sobre esse tema, tenho dito que quase tudo na vida pode ser planejado. As únicas duas exceções são a morte e o amor. O resto é passível de alterações, mudanças de rota, migrações, rupturas planejadas, novos caminhos, recomeços, desde que você saiba o mínimo dos mínimos: **para onde quer ir**. Sem essa resposta, é praticamente impossível planejar qualquer coisa.

Pare para pensar por um minuto. É só uma pequena pergunta: **aonde você quer chegar?**

Mas, por incrível que pareça, a maioria das pessoas que conheço, diante da pergunta, começa a gaguejar, tangencia a resposta com afirmações genéricas e não consegue responder claramente e de pronto. As tentativas de resposta giram em torno de: "Quero ser feliz!... Quero me sentir realizado!... Quero obter sucesso!... Quero ganhar dinheiro!".

Uma pequena pergunta poderosa – Aonde você quer chegar? –, que poderia alterar todo o seu futuro e cuja resposta deveria ser fácil e conhecida para cada um de nós, é a mais difícil. E, pasmem, para muitos, no meio da carreira, ainda é uma questão sem resposta.

A minha pergunta para você, leitor, é: **você sabe para onde está indo?**

Se você não sabe para onde quer ir, pode acabar em qualquer lugar, e – tenha certeza disso – sua realização profissional dependerá única e exclusivamente daqueles dois fatores que acabamos de citar: sorte e acaso. Aí, não tem jeito mesmo. Terá de ir rotineiramente a cartomantes, astrólogos e videntes, rezar muito, usar todos os truques que puder, porque seu destino profissional vai depender muito disso. Para ilustrar o que digo, este trecho de *Alice no País das Maravilhas*, de Lewis Carrol, é exemplar:

– Gato Chesire – começou Alice, timidamente –, poderia me dizer, por favor, que caminho eu deveria seguir para sair daqui?

– Isso vai depender muito de onde você quer chegar – respondeu o Gato.

– Não me importa muito onde... – disse Alice.

– Então não importa que caminho você tome – respondeu o Gato.

– ...desde que eu chegue a algum lugar – acrescentou Alice como uma explicação.

– Ah, disso pode estar certa – tornou o Gato. – Para isso é só andar o bastante.

Gente perdida. Profissionais frustrados. Marcas sem valor

Quais são os fatores que levam alguns profissionais a abandonar o controle de sua marca e sua carreira e entregá-lo a terceiros? Que tipo de profissional é esse que abandona a gestão da própria marca em função da empresa?

Para que você entenda o que acontece com a sua marca e com as marcas desgovernadas à sua volta (que eu espero sinceramente não ser a sua), é preciso entender quem são esses profissionais e como se comportam. Eu acredito que é aqui, na diferença de atitude entre estrelas e anônimos, que está boa parte do problema – ou da solução, como você quiser.

Nesses anos de trabalho com pessoal de marketing, comunicação, administradores, estudantes, gente brilhante, estrelas de diversos segmentos e a grande massa anônima e invisível, encontrei um padrão de comportamento de profissionais frustrados e sem gestão própria de sua marca.

Passei a identificar sinais, atitudes e grupos bastante conhecidos de todos nós. Nessa seara de gente perdida profissionalmente, existem dois grandes grupos, com suas subdivisões:

- O grupo dos profissionais à deriva.
- O grupo dos profissionais que se sentem órfãos.

O primeiro grande grupo: profissionais à deriva

O profissional à deriva é aquele que não tem a mínima ideia de para onde está indo ou aonde quer chegar. Sua carreira é totalmente dominada por variáveis incontroláveis ou incertezas: inflação, crise no segmento (em que ele está, mas não sabe por quê), chefes, estilos de empresas, crises de mercado. Ele é o retrato do acaso.

Muitos deles já foram de tudo na vida: vendedores, auxiliares, chefes, administradores, pequenos empresários. O currículo é uma miscelânea de cargos e empresas permeada de altos e baixos. Alguns já trabalharam nos mais diversos setores, mas nunca conseguiram realizar nada de concreto que os diferenciasse profissionalmente ou que gerasse valor para sua marca. São pessoas que estão sendo guiadas pelo destino. A maioria é deprimida e está à procura de um emprego melhor, não mais de realização profissional.

arthur Bender

Encontramos profissionais à deriva em todos os níveis. Há gente que fez uma faculdade e nunca soube por que a escolheu. Iniciou uma e parou no meio, começou outra porque era mais fácil, depois mudou de novo e finalmente concluiu uma quarta. Acabou entrando numa empresa que lhe deu uma "chance" e hoje é um profissional sobrevivente. Há outros que odeiam as segundas-feiras e para quem o trabalho se tornou um verdadeiro martírio. Não veem a hora de ir embora e na terça-feira já estão torcendo para que chegue logo a sexta. Para eles, trabalhar virou um sacrifício, e não fonte de prazer ou realização profissional. Seu planejamento de carreira é de curtíssimo prazo ou então se resume somente à ideia de chegar depressa a próxima sexta-feira! O máximo que conseguem visualizar a longo prazo são os meses de novembro e dezembro, e não por um motivo muito estratégico, mas por ser a época do décimo terceiro salário (para pagar as contas acumuladas do ano) e, é claro, das férias!

Há pessoas que já abriram mão da felicidade, da realização profissional e só pensam agora na sobrevivência. Os cargos que ocuparam, em vez de os alavancar para cima, acabam sendo o limitador para novas experiências. Eles pensam: "É o que sei fazer... é o que está no meu currículo, agora não tem mais volta... não sei como fiquei naquela empresa por dois anos, mas acabei nesse segmento e agora é a referência que tenho para conseguir um novo emprego...". E aí se vão mais alguns anos.

Às vezes, no mais profundo desespero, esses profissionais tomam medidas radicais. "Chutam tudo" para tentar uma nova empresa, sem pensar muito no que isso pode representar a médio e a longo prazos. Nesses momentos, acreditam que o problema não está neles, mas na empresa onde trabalham. O chefe é tirano, a empresa não dá espaço, não reconhece o esforço dos funcionários, o trabalho é enfadonho ou estressante, os colegas puxam o tapete dos outros, há muita fofoca. Tudo isso, na visão do profissional à deriva, não acontece nas outras empresas. E ele continua tentando encontrar o lugar ideal, que o reconheça como é. Um local mágico com chefes atenciosos, sem estresse, em que os colegas sejam amigos de verdade e haja muitas oportunidades.

Muda de endereço (mas não de atitude) e continua refém das circunstâncias. Muda de empresa sem saber por que nem para onde está indo. Permanece perdido, tentando encontrar uma resposta para uma pergunta que nunca se fez nem sabe qual é. E acaba sendo apenas um gerenciador da sobrevivência.

Gerenciador da sobrevivência

É o grau mais alto que se pode atingir no grupo dos "profissionais à deriva". É o ápice da carreira. O máximo do desespero profissional!

Muita gente só se dá conta de que chegou lá quando se aproxima dos 40 anos. A história é sempre a mesma. A empresa está recrutando gente bem mais nova, com currículos bem mais interessantes, com salários bem menores. O pânico se instala para esse profissional quando ele fica sabendo que a empresa está num processo de fusão, vai ser vendida ou contratou um consultor para melhorar a rentabilidade. Acabou-se a paz. Instalou-se o inferno astral.

Seus dias tornam-se um verdadeiro martírio, e no auge do desespero ele assume uma posição defensiva e de proteção à sua zona de conforto. Pensa: "Quanto menos me virem, melhor... não quero chamar a atenção de ninguém". Passa a se esconder, com medo, olhando para todos como possíveis algozes de sua carreira. Volta para casa diariamente com a sensação de que conseguiu sobreviver por mais um dia. Só isso.

O fim é sempre o mesmo

Que produtividade pode ter um profissional que vive assim, sob ameaça constante, acuado? Que iniciativa terá para empreender? Que boa vontade terá para encarar novos desafios? Como estará sua autoestima?

Você acha que ele conseguirá vencer? Tenho certeza de que não. Ninguém consegue vencer assim. É preciso reverter essa atitude, essa mudança profunda de comportamento e de crenças, mas poucos nessa fase conseguem isso.

O que vai acontecer com esse profissional e sua carreira? Ele vai gerenciar a sobrevivência enquanto der. Enquanto não o descobrirem e o demitirem. As razões são as mais diversas (enxugamento, profissionalização, redução de custos), mas o fim é sempre o mesmo – aumentar as estatísticas de desemprego.

O que acontece, em geral, é que o MEDO fica estampado no rosto desse profissional. Em muitos casos, a palavra é PÂNICO. E a vida dele passa a ser unicamente uma sequência de atos desesperados diários com o objetivo de sobreviver. Ora, se uma pessoa só pensar em sobreviver, viverá 24 horas por dia na defensiva, cercado de fantasmas por todos os lados. Não pensará mais, só reagirá.

Gerenciar a sobrevivência com uma atitude suicida

Geralmente, os pensamentos que atormentam esse profissional são:

"O que será de mim se me despedirem?"
"Meu inglês é sofrível e não dá mais tempo de aprender."
"Já tenho idade; se eu sair daqui não conseguirei mais me recolocar."
"Sei que eles só estão esperando uma chance para me despedir."
"Esse trainee está aqui para tomar o meu lugar pela metade do meu salário."
"Se o mercado ficar recessivo, serei o primeiro da lista, tenho certeza."
"Eu vejo nos olhos dos diretores. Certamente estou na lista."

Com esses pensamentos, a rotina vira um inferno, e ele mesmo cria as condições para que o pior aconteça. E acontece mesmo.

O segundo grande grupo: profissionais órfãos

Esse profissional está à procura de um pai, de alguém que o ajude a vencer as dificuldades e o auxilie na busca de um novo emprego. Pode ser um chefe que finalmente o reconheça e lhe dê um aumento, uma promoção, ou qualquer um que defina o seu futuro.

Sua vida é esperar que de repente surja, do nada, um pai (pai-Empresa, pai-Estado, pai-chefe, pai-amigo) que garanta seu futuro e seja responsável por sua grande guinada profissional. Ele espera pelo governo, que deveria ser o responsável por sua vida; espera pelo patrão, que deveria se preocupar com sua condição; e espera pelo chefe, que deveria estimulá-lo, incentivá-lo, pagar os cursos de que precisa; espera que os que estão à sua volta se preocupem com o seu bem-estar e lhe deem chances para ascender na carreira.

Nesse grupo de profissionais, há os tipos mais variados, sendo os mais comuns:

- Os órfãos azedos.
- Os órfãos inseguros.
- Os órfãos pedintes.

O primeiro tipo: órfãos azedos

Os órfãos azedos são aqueles que, como estão descrentes de tudo, sempre culpam os outros por seu fracasso ou por sua não realização profissional. São pessoas que ao longo dos anos cultivaram uma forte descrença no mundo profissional. Uma descrença em relação a tudo o que possa acontecer de bom para si e para os outros. Não acreditam em mais nada e culpam a empresa por não ter investido neles como deveria.

Uma nuvem negra sobre a cabeça

Você deve conhecer essa figura dos desenhos animados. Ele tem uma nuvem negra cheia de raios e trovões sobre a cabeça. Está sempre chovendo somente nele. Na empresa, é ele que questiona o valor de tudo o que é proposto. Torna-se um cínico nato.

Para ele, todos são incompetentes e cegos por não terem reconhecido ainda quanto ele é brilhante. Vive dizendo que a empresa é uma droga, que nunca fizeram nada direito, que o diretor de Recursos Humanos é um idiota incompetente, que o chefe é muito fraco, mas ele continua lá. Vive dizendo que não aguenta mais e que a empresa é ruim, mas os anos passam e ele continua lá, com seu terrível baixo-astral.

Qualquer tentativa de animá-lo é inútil. Ele não se anima com nada. Novos projetos, desafios, programas são todos questionados por ele. Todo e qualquer projeto de desenvolvimento apresentado a ele é atacado e acusado de não ser mais do que perfumaria. Sua visão é que a empresa não resolve o que deveria resolver e não consegue incentivar ninguém a prosperar na carreira.

Num minuto de conversa, ele lhe descreve com exatidão tudo o que está errado na empresa e por que as coisas nunca vão dar certo. Na verdade, na opinião dele, está tudo errado. Nada vai dar certo nunca. Ele lhe fornece uma longa lista de iniciativas frustradas e das incompetências que grassam na organização. É aquele sujeito que gosta de confidenciar com você no cantinho do xerox e lhe dar conselhos do tipo: "Nem perca tempo tentando. Já vi muita gente que tentou e acabou quebrando a cara. Se eu fosse você, desistia".

Como uma enorme esponja de energia

O órfão azedo é aquele que acha que a empresa deveria ter feito tudo por ele. Como não fez, ele não acredita em mais nada, por isso ficou azedo com a vida e com todos à sua volta.

Ao encontrar os colegas do escritório, critica ou despreza quem está investindo na carreira. O órfão azedo é uma verdadeira esponja espiritual – suga toda a energia das pessoas e do ambiente. Reduz, destrói e acaba com qualquer iniciativa de alguém fazer aquilo que ele nunca fez.

O lema é: eu não faço e ninguém pode fazer

As iniciativas de desenvolvimento pessoal dos colegas são motivo de chacota e ironia. Se ele encontra alguém que está fazendo um curso por conta própria, é o primeiro a desdenhar: do curso, do conteúdo, do orientador e do tempo que você está perdendo. Caso saiba que você vai coordenar um grupo no sábado por iniciativa própria, chama-o de trouxa, de bajulador. Ou ri nas suas costas com os colegas de escritório, no cantinho do café. No jantar da empresa, vai ironizar toda e qualquer iniciativa sua e ficar fazendo piada o tempo todo sobre a sua capacidade.

O segundo tipo: órfãos inseguros

Esse é outro tipo bastante conhecido na categoria dos profissionais órfãos. É aquele que busca desesperadamente o auxílio do grande "pai-Estado" para sentir-se melhor. Vive fazendo todo e qualquer tipo de concurso público para um dia conseguir alguma estabilidade. Para ele, a segurança de "não ser despedido" é o grande objetivo de sua vida.

Sua insegurança é tanta que não importam muito o cargo, a função ou a empresa, desde que seja estatal e lhe dê garantia de estabilidade profissional.

Gerenciamento da carreira e valor de sua marca pessoal são coisas em que ele nunca pensou. Adora a palavra "isonomia salarial". E sabe que, se existir isonomia salarial, ele estará garantido, pois não precisará competir com ninguém. Portanto, a marca pessoal não tem nenhum valor mesmo.

Para ele, todos os que fazem a mesma coisa, não importa de que forma, deveriam ganhar o mesmo. A argumentação toda está na justiça e na paridade sob o manto da proteção pública. Só uma coisa lhe interessa – um lugar ao sol, mesmo que seja bastante incômodo, sem chances de realização, sem nenhum brilho, sem felicidade. Ele acredita que um contracheque (de qualquer valor) é o máximo de retorno que um profissional pode receber.

Isso é como economizar sexo

Fazer isso com a carreira é como passar a vida fazendo aquilo de que não gosta para um dia – que você não sabe qual será nem se chegará – poder aproveitar. Como disseram os escandinavos Nordström e Ridderstrale em seu livro *Funky business*:

"Eu sempre me preocupo com as pessoas que dizem: 'Vou fazer isso durante dez anos; na verdade, não gosto muito de fazer isso. Mas vou fazer...'. Isso é parecido com a prática de economizar sexo para quando você estiver velho".

Sacrificar a escolha da carreira "somente" em função da segurança é descrer da própria capacidade e se esconder atrás da grande mãe protetora que é o Estado. Isso, para o órfão inseguro, é como ganhar a loteria e encontrar um pai maravilhoso que compreende tudo, releva fragilidades e constantemente passa a mão na cabeça.

O que pode acontecer? Você passará todos os dias creditando à vida e aos outros a terrível sensação de não fazer aquilo de que gosta e certamente não será o mais brilhante dos funcionários públicos. Pode acreditar nisso.

Um preço a pagar alto demais

Não tenho nada, em absoluto, contra os funcionários públicos. Existem profissionais maravilhosos no funcionalismo público municipal, estadual e federal. Gente que ama realmente o que faz e que construiu uma história de sucesso e de realizações. Gente que se levanta todos os dias e encara salários injustos, desmandos, estruturas burocráticas ineficazes em troca de estar fazendo aquilo de que gosta. Exemplos disso não faltam.

Mesmo em estruturas inchadas, ineficazes, burocráticas, com a tal da isonomia salarial ainda seria possível fazer um trabalho de marca e gerenciar a alavancagem de uma carreira brilhante. É difícil, sim. Mas não impossível. Existem bons exemplos de estrelas no funcionalismo público em todas as esferas.

No entanto, somos absolutamente contra a ideia de entregar sua vida, sua carreira, suas expectativas, sua felicidade em troca apenas de estabilidade e segurança. Isso pode ser um paliativo num mundo extremamente competitivo, cheio de injustiças, de desigualdades e com índices absurdos de desemprego, mas o preço a pagar no final é alto demais.

Sabe qual é o preço a pagar? Sua felicidade.

Levantar todas as manhãs para ir trabalhar, olhar-se no espelho e perguntar por quê. Esse é o preço.

E com o passar dos anos o preço fica ainda mais alto, pois vem com um bônus por tempo de serviço: esse é o primeiro degrau para se transformar no órfão azedo, e aí será tarde demais para recomeçar.

O terceiro tipo: órfãos pedintes

Esse é o estágio mais cruel da vida dos profissionais órfãos. São os pedintes. Esses abdicaram de toda e qualquer esperança de progredir na carreira e se contentam com qualquer coisa que lhes seja dada.

A condição de frustrados com os resultados de seus esforços acabou com qualquer esperança de que alguma coisa boa possa ser produzida por iniciativa própria. Esses órfãos estão à espera de caridade dos outros, de ajuda. Já não querem o sucesso ou uma carreira, basta um emprego, seja qual for. As chances desses profissionais dependem muito mais da sorte e dos outros do que de si próprios. Descrentes de tudo e de todos, aguardam a caridade e a boa vontade de um amigo ou parente para conseguir uma "vaga melhor".

A ideia de terem uma marca pessoal e serem responsáveis pela administração dessa marca passa ao largo de tudo o que possam imaginar. Não conseguem entender por que devem pensar nesse assunto.

Com certeza você já deve ter visto um currículo assim: fornece todas as referências possíveis, nomes de amigos importantes para ser consultados e menciona meia dúzia de cargos de interesse que na maioria das vezes não têm nada a ver uns com os outros. Qualquer posição serve, de goleiro a ponta, desde que seja um emprego! Qualquer emprego.

Quem lê tem a sensação de que se trata de um profissional tipo pato: "voa porque é uma ave, mas voa mal; caminha, mas caminha desengonçado; tenta cantar, mas na verdade só emite sons; vai para água e nada, mas...". Ou, ao contrário, pode acreditar que esse sujeito é aquele super-hipermultimultimídia que sempre sonhou em ter na empresa, mas franze a testa e pensa: se ele fosse tudo isso, será que estaria mandando currículo e pedindo uma vaga?

É uma questão de percepção. E, creia, o valor das marcas e das carreiras, mais do que em todo o conteúdo concreto que elas possam representar, invariavelmente estará escrito numa folha de papel A4 e, na maioria das vezes, acabará sendo definido pela percepção de alguém que está lendo. Se não passar nessa barreira de percepção, será muito difícil conseguir a chance de provar o contrário.

Pedintes empregados. Os chatos das reuniões

Você deve estar imaginando que nesse grupo só estão os desempregados. Pois eu digo que não. De forma alguma. Esse grupo abrange muita gente empregada, em todos os níveis de escolaridade e em todos os escalões, por mais incrível que pareça.

Alguma vez você já se sentou com um vendedor pedinte? É aquele que tenta lhe vender alguma coisa sem nenhum argumento, a não ser a amizade pessoal. Força a barra mesmo. Deixa você constrangido. Pede a você que compre para ajudá-lo a fechar a meta do mês contando sua lenga-lenga triste de vida. Você fica com pena e ajuda uma vez. Pronto. Acabou sua paz. Todo mês ele vai ligar para você pedindo para quebrar aquele galho.

Ou aquele pedinte azedo típico de escritório. Ele quer qualquer coisa que possam lhe dar. Vive pedindo. O chato pedinte das reuniões. Mais estrutura, mais salário, mais pessoas, mais ajuda, mais, mais, mais. Nada nunca pode ser feito com o que se tem. A frase é invariavelmente assim: "Ah, se me dessem isso ou aquilo, eu conseguiria...".

O pedinte empregado é o resmungão diário. Todos fogem dele porque sabem que vai reivindicar alguma coisa, qualquer que seja o projeto. E sempre reclama da falta de apoio em tudo. É o cara que, nas reuniões, mal terminamos de apresentar o projeto, já está perguntando: "Tá, e como a gente vai fazer isso? Sem recursos?".

O órfão pedinte, basicamente, é aquele que (dentro ou fora do mercado) não tem a mínima ideia do que vale, do que quer valer ou de aonde quer chegar, por isso se acostumou a viver pedindo e acha que todos à sua volta têm a obrigação de ajudá-lo por sua orfandade.

Para os órfãos pedintes, qualquer coisa é pai. Qualquer porto é porto. Qualquer lugar é lugar. Eles não têm objetivos, não têm foco, não se conhecem, não têm posicionamento, não têm nada. Acabam sobreviventes. Mendigos do mundo corporativo.

Capítulo 2

arthur Bendee

ocê no controle do seu maior patrimônio, a sua marca pessoal

Excesso de informação e muitas escolhas

Vivemos numa era de excessos em que a informação disponível funciona como uma verdadeira avalanche de palavras, símbolos, cores, marcas, tipos de produtos, acessos diferentes, opções múltiplas e infinitas escolhas. Escolhas, escolhas. Muitas escolhas.

Se pensarmos em quantidade de marcas, teremos sempre números gigantes. São opções demais, que nos deixam tontos na hora de fazer uma compra. No livro *Diferenciar ou morrer*, o autor Jack Trout nos dá uma ideia disso comparando marcas, modelos e tipos de produtos disponíveis no final dos anos 1970 e no final dos anos 1990: os modelos de veículos disponíveis saltaram de 140 para 260; os estilos de veículos, de 654 para 1.212; os sites na rede partiram do zero e chegaram a 4.757.894 no fim dos

> "Existem dois momentos importantes na vida de uma pessoa. O primeiro é quando ela nasce. O segundo é quando ela descobre para que veio ao mundo."
>
> **Anônimo**

anos 1990; as marcas de água mineral aumentaram de 16 para 50; os itens do McDonalds, de 13 para 43, e assim por diante.

Imagine o que temos disponível em informação. São números impressionantes. Segundo Nordström e Ridderstrale no livro *Funky business*, "no fim do dia, o cidadão americano comum foi exposto a 247 anúncios; ao completar 18 anos, terá visto 350 mil comerciais de TV".

Precisamos lidar com números, códigos e senhas o tempo todo. Os números do CPF, do CNPJ, da carteira de identidade, de contas de mais de um banco, de agências, da senha do cartão bancário, dos cartões de crédito, do computador no escritório, do código de assinante da TV a cabo, da senha do programa de milhagem, dos telefones de casa, do escritório, da esposa, dos filhos...

Num supermercado médio, estão disponíveis entre 30 mil e 40 mil itens. Num hipermercado, em torno de 60 mil. Numa grande drogaria, encontramos cerca de 14 mil produtos. Uma loja de departamentos pode ter até 40 mil produtos expostos. E tome imagens no cérebro. E tome mais informação.

Vivemos num mundo com um brutal excesso de informações e uma guerra terrível por espaço no cérebro das pessoas. A indústria da comunicação movimenta trilhões de dólares no mundo alterando conceitos, criando modas, influenciando as artes, a música, a forma de vida da sociedade. E, queiramos ou não, gostemos ou não, essa onda mexe todo dia com nossa vida, de forma extremamente significativa, por meio da mídia.

Conforme Al Ries em seu livro *Foco*, "as mentes ficaram viciadas nos meios de comunicação de massa. O dia de uma pessoa é essencialmente dividido em três partes: trabalho, sono e mídia. Nem o trabalho nem o sono consomem tanto tempo quanto a mídia. A mente é inundada por uma avalânche de palavras. Segundo os dados mais recentes, a mente média consome nove horas de televisão, rádio, jornais, revistas, livros e fitas de vídeo por dia. Isso se traduz em 40 mil palavras por dia, 280 mil palavras por semana, mais de 14 milhões de palavras por ano".

Uma edição dominical de qualquer grande jornal do Brasil ou do mundo contém mais informação do que todo o conhecimento que a humanidade havia conseguido obter até a Idade Média. O jornalista e escritor Mário Rosa, em seu livro *A reputação*, fala de dois séculos por dia como sendo o volume de programação que as 31.750 emissoras de TV e as 51.120 emissoras de rádio do planeta transmitiram durante um período de 24 horas, em 2005. Fala também em mais ou menos 2 milhões de "olás" por dia, considerando que cada "olá" é um dos 2.327.000 painéis das cinco maiores empresas de mídia exterior do mundo.

Isso passa a representar uma enormidade de escolhas e descartes que temos de fazer todos os dias. Escolher entre centenas de marcas de biscoitos, dezenas de bandeiras de cartão de crédito, 60, 70 canais de TV a cabo, centenas de lojas num shopping médio. Escolher, escolher, escolher, numa avalanche de informação, números, marcas, cores, logotipos.

Jack Trout cita James Glieck, que descreve o seguinte cenário:

Essa proliferação de escolhas representa ainda outro circuito de feedback positivo – na verdade, um zoológico de circuitos. Quanto mais o acúmulo de informações o deixa desnorteado, mais surgem "portais", mecanismos de busca e infoboots na internet, para supostamente ajudá-lo despejando informação em seu caminho. Quanto mais linhas telefônicas você tem, de mais linhas necessita. Quanto mais patentes são conseguidas, maior será o número de advogados e serviços de busca de patentes. Quanto mais livros de culinária você comprar ou folhear, maior será sua vontade de servir alguma novidade aos seus convidados e maior será o número de livros de culinária dos quais vai precisar. As complicações geram escolhas; as escolhas inspiram tecnologias; as tecnologias criam complicações. Se não existisse a eficiência de fabricação e distribuição da era moderna, se não houvesse números telefônicos para consultas gratuitas, se não existissem entregas expressas, códigos de barra, scanners e, acima de tudo, computadores, as escolhas não estariam se multiplicando dessa forma.

John Naisbitt, em seu livro *High Tech, High Touch*, fala do paradoxo entre o excesso de informações e a capacidade que temos para lidar com elas, entre a vida complexa cheia de aparatos tecnológicos e a busca de simplicidade como resultado. Segundo ele, o mercado americano está desesperadamente dividido entre comprar tecnologia e fugir dela.

Nesse universo extremamente competitivo, com guerras ferozes por espaço na mente das pessoas e batalhas para conquistar sua atenção, cada milímetro do seu cérebro está sendo disputado pela mídia, mesmo agora, neste exato momento em que você lê este livro.

Simplificamos para nos proteger

E como você acha que sobrevivemos com esse brutal impacto de informações todos os dias? Simplificamos para nos proteger. Mais ou menos assim: selecionamos aquilo que realmente nos importa e nosso cérebro encara todo o resto como pano de fundo, como um cenário não relevante para as questões principais. Fazemos descartes o tempo todo para fugir da montanha de lixo e tomar decisões.

Existem diversos estudos profundos sobre isso, explicando como funciona a atenção. Mas o importante é saber que o cérebro funciona como um filtro, descomplicando e simplificando as coisas. Bom. Isso só deixa tudo mais difícil para os especialistas em marketing. Captar sua atenção é a palavra de ordem. Atenção virou uma espécie de insumo básico, vital. Representar uma palavra em sua mente é o grande desafio, um mantra recitado diariamente nos quartéis-generais de grandes empresas. Conquistar um centímetro do seu cérebro e passar a ser uma das escolhas na hora da decisão de compra é o objetivo 24 horas por dia.

O cérebro filtra o excesso de informação

Sabemos que nossas decisões de compra levam em consideração inúmeros aspectos não racionais. Mas toda decisão parte inevitavelmente de uma pré-seleção de marcas a ser consideradas. Acabamos guardando na cabeça uma escala hierárquica das marcas que escolheremos na hora da compra. Por exemplo: gostamos muito de uma delas, mas logo em seguida surgem mais duas ou três que vamos considerar na falta daquela preferida. Se não temos dinheiro suficiente para comprar a primeira ou não a encontramos disponível, vamos imediatamente para a opção seguinte, e assim por diante.

A grande batalha do marketing é conseguir ocupar um espaço no seu cérebro, de preferência no alto da escala hierárquica, como a primeira escolha.

Bom, você deve estar se perguntando por que estamos falando de excesso de informação, de multiplicidade de marcas, de diversidade de escolhas, quando deveríamos estar falando de marcas pessoais e de carreira. Eu explico.

Isso mesmo. Você vive nesse contexto caótico e de muita informação. Você é uma marca que precisa ser comprada antes que perca a validade e seja trocada por outras mais jovens e mais atraentes. Seu nome é uma marca que precisa ser lembrada, precisa ter visibilidade, precisa ter diferenciais, precisa ser percebida com valor. Você precisa representar alguma coisa na mente dos seus *prospects* (clientes potenciais) nesse emaranhado de informações e de gente disponível no mercado profissional.

As pessoas à sua volta são seus compradores, seu mercado potencial. Seu patrão é seu consumidor. Seus amigos são seu mercado. Seus conhecidos são *prospects*. Sua rede de relacionamentos, seus parentes, os amigos dos parentes que já ouviram falar da sua marca são potenciais compradores. Enfim, todos os que, de uma forma ou de outra, tiveram contato com você, foram impactados por sua marca e criaram uma percepção da sua imagem e dos seus benefícios, no futuro poderão ser os impulsionadores da sua "venda" ou os algozes do seu futuro.

> Você é mais uma marca no meio desse enorme caos do mercado!

Personal Branding

Sua marca precisa ser diferente
nesse contexto caótico

Se essa ideia lhe parece assustadora, analise este cenário: você é uma marca, o.k.? Está numa prateleira de produtos de um supermercado gigante com milhares de outras marcas, parecidas com você, disponíveis nesse imenso mercado de trabalho. Todo semestre, todo ano, as faculdades de todo o Brasil despejam novos lotes de jovens marcas no mercado. São milhares e milhares de novas marcas à venda, disputando espaço com você.

Todos querem ser vendidos pelos melhores preços (obter os melhores salários e ser comprados pelas melhores empresas). Todos oferecem uma série de benefícios parecidos – a maioria fala inglês e espanhol; alguns falam esses dois idiomas e mais outros; uns têm MBA; uns têm embalagem mais atraente que outros; uns têm anos de mercado e dizem ter experiência; outros oferecem um produto novo, moderno; outros ainda são importados (de outros estados, de fora do país).

Eles estão espalhados por todo o "supermercado" em diversas seções. Uns em posições extremamente atraentes, na altura dos olhos do consumidor e nas seções de maior brilho (pontas de gôndola). Estão bem iluminados e serão facilmente encontrados. Outros estão bem embaixo na gôndola e terão de ser procurados com um pouco mais de boa vontade pelos compradores. Uns estão na parte de ofertas, naquelas grandes pilhas com cartaz de desconto. Outros, naqueles enormes balaios, revirados constantemente pelos consumidores, que deixam as embalagens meio amarrotadas.

Alguns estão com a embalagem quase vencida e, se não forem vendidos, terão de ser recolhidos e jogados fora!

Diariamente, compradores em potencial entram nesse supermercado e analisam quem deve ser comprado. As melhores marcas são repassadas no boca a boca dos próprios consumidores. As marcas que não se ajustaram, que vieram com produtos defeituosos, estragados, vencidos, azedos, serão também influenciadas pelo boca a boca e estarão com a imagem e a reputação arranhadas para sempre.

Nosso mercado em potencial nos analisa todos os dias – são os amigos, colegas, parentes, funcionários, chefes. Eles nos observam o tempo inteiro. Recebem nossos sinais de marca. Se estivermos com nossa marca a impulsionar nossa venda, no lugar certo, com a embalagem correta e atraente, na seção certa, mais cedo ou mais tarde alguém nos comprará.

A pergunta é: **onde você está, leitor?** Na seção dos importados? Nos corredores nobres, na parte bem destacada do setor? Você está na vitrine como o lançamento do mês? Como? No balaio de ofertas "pague dois, leve três"? Meu Deus! Por que você está aí? Por que foi parar aí? Já olhou sua validade hoje?

Tudo pode ser pior. Estar no lugar certo não basta

A coisa funciona mais ou menos assim: se você sabe aonde quer chegar (lembra daquela nossa pergunta inicial?), certamente saberá por quem quer ser comprado (conhecerá seu mercado e sua audiência) e estará no corredor certo. Isso já é um grande passo para ser adquirido. Se você não souber, vai depender de novo da sorte.

Mas você ainda precisa saber quem são seus públicos principais e o que eles estão desejando (seus compradores potenciais), para que possa ajustar sua marca e passar a dar os sinais corretos.

É isso mesmo. Não basta estar na seção certa; é vital que você tenha visibilidade para a sua marca. É preciso ter destaque na sua posição (na prateleira). Esse é outro passo importante para ser "comprado". Nesse aspecto, o rótulo e o design são importantes (sua imagem pessoal), e aí vêm suas referências, seus movimentos estratégicos, sua postura, suas atitudes.

Seus potenciais compradores precisam passar pelo corredor certo e, entre centenas de outras marcas, a sua deve ter destaque. Nos supermercados, esse trabalho é chamado de *merchandising*. Existe alguém lá que cuida tecnicamente da exposição de cada produto na prateleira para que pareça atraente aos olhos do consumidor: o rótulo tem de estar impecável, com o máximo de frente visível (chamamos isso de *facing*), a marca precisa estar visível, não pode haver nenhuma embalagem amassada, arranhada, e deve estar numa posição que facilite a visualização entre os demais itens daquele setor. Enfim, o produto precisa ser atraente, sedutor.

Detalhe: esse serviço não é de responsabilidade do supermercado, quem faz é o fabricante. O supermercado é apenas o lugar que comercializa o espaço e disponibiliza o produto. Cada fábrica contrata gente especializada para cuidar do *merchandising* de seus produtos. Por quê? Porque a fábrica tem interesse extremo em que seus produtos girem na gôndola (utilizando o jargão do setor).

No mercado profissional, nada é diferente. É você, fabricante do seu próprio produto, que terá de cuidar do grau de atração da sua marca pessoal. Porque isso é importante para fazer sua marca "girar" na gôndola. Isso se chama "gestão de marca pessoal", ou *personal branding*.

Você acha que isso não é importante? Que o seu produto vai vender sozinho? Se você pensa assim, cuidado! Seu colega de escritório, neste exato momento, pode estar pensando o contrário e cuidando da marca dele nesse nosso imenso "supermercado". E aí...

Um lugar para todos nesse grande mercado

Bem, se continuarmos com essa ideia de um supermercado com milhares de marcas concorrentes disputando o mercado profissional, onde você acha que se encontram aqueles profissionais que classificamos no primeiro capítulo? Eu garanto que é bem fácil determinar onde eles estão. Pode acreditar.

Os profissionais à deriva — estão em qualquer parte do supermercado, mas geralmente nas seções erradas. Alguns serão encontrados por acaso e podem até ser comprados. São bons produtos, estão na validade, mas sem visibilidade nenhuma, alguns sem rótulo, sem identificação, virados de costas para o mercado, dando sinais errados. Por estarem assim, podem ser comprados por engano e descartados na primeira oportunidade por não se encaixarem na necessidade desse consumidor.

Os profissionais órfãos azedos – estão sendo recolhidos pelos funcionários do supermercado na hora do reabastecimento. Saem os azedos e vencidos, entram marcas novinhas, no prazo. Se alguns ainda continuam lá, é por descuido dos funcionários, mas logo, logo alguém vai encontrá-los, olhar o rótulo e reclamar para o gerente. Pode ter certeza!

Os órfãos inseguros e os pedintes – estão com grande destaque no supermercado, mas na seção de ofertas torra-torra, num grande balaio que diz: "Queima de estoque!". Serão liquidados por menos de 50% do preço original. É aquela superliquidação – torra-torra mesmo! E sabe quem vai comprar? O consumidor que só quer preço baixo. Não interessa se é bom ou não, ele vai levar porque está barato, na promoção, e se não der certo não faz mal, porque pagou barato.

Novamente, lanço a pergunta: **onde você está, leitor?! Como foi parar aí?!**

Talvez você tenha achado isso forte demais, não é? Pode estar querendo não ser comparado a uma lata de massa de tomate. Eu concordo. Também não me sinto muito confortável quando penso nisso. Mas é a mais dura e cruel realidade. Isso é percepção e somos avaliados assim. Bem-vindo ao verdadeiro mercado de trabalho!

Por que eu escolheria você?
Que diferença você tem que os outros não têm?

É assim que precisamos visualizar as coisas quando existem milhares de advogados, médicos, arquitetos, publicitários, engenheiros disputando uma vaga ao sol. Disputando aquela vaga, naquela companhia dos sonhos. Infelizmente, é assim. E, se não servirmos, o comprador terá milhares de outras opções para escolher. Porque, cá entre nós... há muita liquidação e oferta "pague 2, leve 3" de profissionais por aí.

Se você entrar em um grande prédio de escritórios, certamente vai encontrar na recepção aquelas grandes placas com identificações das salas. Pare e observe. No mínimo, há uns 20 nomes de advogados, 15 ou 20 médicos, dez psicólogos, terapeutas... Num mesmo andar você tem cinco, seis, sete, dez opções de médicos na mesma especialidade, com os mesmos preços, com os mesmos convênios!

O problema é que o mercado está saturado com milhares de candidatos e aspirantes ao mercado profissional, sedentos por construir carreiras brilhantes. Até aí, tudo bem. Só que existe um detalhe importante que deixa tudo bem mais complicado: todos eles preenchem as qualidades básicas (instrução, currículos, idiomas, experiência, visual etc.). E só.

E então fica difícil escolher pelas diferenças. São todos mais ou menos iguais. Leram os mesmos livros (aqueles que ainda leem), vestem-se da mesma forma (porque leram o mesmo manual sobre como ir vestido a uma entrevista), dizem as mesmas coisas, fizeram os mesmos cursinhos básicos. Tornam-se todos *commodities*. Ou seja, não têm diferenciais, são marcas sem valor, e aí a gente compra quem estiver mais barato! As empresas muitas vezes adquirem quem está na promoção. E vamos combinar uma coisa: para dar 50% de desconto, não precisa ser um gênio em marketing, não é?

E o que faz a diferença?

Alguns anos atrás, uma faculdade fazia toda a diferença na hora de se posicionar no mercado. Depois, era uma pós-graduação e uma língua estrangeira. Em seguida, vieram os MBAs. Hoje, por todo lado há um jovem que já fez seu MBA, fala dois ou três idiomas, conhece a Europa etc. Os diferenciais ficaram mínimos, quase imperceptíveis. Esses profissionais viraram pura *commodity*.

Em seu livro *Marketing de alta visibilidade*, Irving Rein, Philip Kotler e Martin Stoller afirmam o seguinte:

Marketing é primeiramente o processo de examinar um produto em relação a um mercado e determinar como maximizar o seu potencial – isto é, sua habilidade de preencher uma necessidade. Isso não quer dizer que um candidato aspirante pode ser trabalhado em qualquer nível de visibilidade em qualquer setor do mercado. A melhor assessoria de marketing para um candidato político gera apenas resultados limitados; ele ainda pode perder a eleição. Em eleições recentes, todavia, o uso do marketing pode ser a diferença entre a vitória e a derrota.

No caso de transformação de pessoas e campanhas de imagem promovidas pela maioria dos aspirantes, pequenas diferenciações podem ser usadas para se conseguir uma grande vantagem. O potencial de contribuição do marketing para a busca de visibilidade varia em diferentes setores. Nos cem metros rasos, ganha visibilidade quem for mais veloz, e o marketing não faria diferença nenhuma no resultado (mas fará uma grande diferença na recompensa comercial do vitorioso). Em outros setores, como negócios, direito, medicina, religião, meios literários, política e entretenimento, em que milhares de aspirantes preenchem as qualidades básicas, o impacto do marketing pode ser enorme.

Nesse território, uma gestão eficaz de marca pessoal, que saiba controlar os sinais certos e acionar os mecanismos corretos, fará toda a diferença entre vencedores e perdedores, entre estrelas do segmento e anônimos que morrerão profissionalmente, invisíveis. Planejar estrategicamente essa diferenciação é a chave para alavancar uma carreira de sucesso.

No livro *Foco*, de Al Ries, há uma passagem brilhante e inspiradora, que acho genial. Meus amigos e meus alunos sabem quanto já falei nisso, mas ela ilustra a questão que estamos analisando, do valor de fazer a diferença e representar alguma coisa na mente dos outros. Vejam só:

No dia 12 de março de 1995, o primeiro parágrafo do obituário no New York Times *dizia: 'Victor Dorman, que como chairman da Dorman Cheese Company ajudou a mudar a maneira como os americanos com-*

*pram queijo – colocando o papel entre as fatias –, morreu no dia 4 de mar-
ço em sua casa em Delray Beach, na Flórida. Tinha 80 anos'.*

*Oficial da Marinha, empresário e filantropo, Dorman viveu oito dé-
cadas. Ainda assim, seu obituário resume uma vida de realizações como o
homem que colocou o papel entre as fatias.*

Talvez mil pessoas por ano apareçam nos obituários do *Times*,
diz Al Ries. A maioria delas é eminentemente esquecível. No entanto,
uma vez ou outra, alguém consegue colocar o papel entre as fatias. Se
você quer ser famoso tanto na vida quanto na morte, siga a mesma
estratégia: tenha uma palavra na mente. Isso vale para indivíduos e
também para empresas.

No mesmo capítulo, ele fecha com o seguinte trecho do filme *Amigos para Sempre*, de 1991, em que o personagem Jack Palance fala:

– Você sabe qual é o segredo da vida? – pergunta Jack Palance.

– Não, qual é? – diz Billy Crystal.

*– Uma coisa, apenas uma coisa. Você se atém a ela e tudo o mais
não significa droga nenhuma.*

– Isso é ótimo, mas qual é essa coisa?

– É o que você precisa descobrir.

Os sinais da marca você

Ser diferente e ter valor, representar um conceito, uma palavra na
mente dos que estão à sua volta, é o maior desafio. Eu diria que é "O"
desafio da sua vida profissional.

Você pode não acreditar, e talvez nem se dê conta disso, mas neste
exato momento, em algum lugar, alguém está se referindo a você, des-
crevendo-o com... uma palavra! Um adjetivo que resume todos os seus
esforços, toda a sua "batalha", toda a sua dedicação e seus anos de estudo. Um adjetivo.

Que adjetivo andam espalhando por aí sobre você?

O terrível é que, muitas vezes, a maioria de nós não tem a mínima ideia de que palavra estão utilizando para nos descrever. E essa palavra pode fazer TODA a diferença para a reputação da nossa marca e para nossa carreira.

Para entendermos melhor como isso funciona em um mundo com excesso de informação, basta que recordemos uma cena típica, que já deve ter acontecido várias vezes com você: ao entrar em um restaurante para almoçar, quando está se dirigindo a uma mesa vaga, você depara com um conhecido, numa mesa próxima, que está almoçando com uma pessoa que você não conhece. Você se aproxima e, por gentileza, cumprimenta os dois. Seu conhecido lhe dirige duas ou três palavras rápidas e vocês se despedem com novos cumprimentos. Você vira as costas e caminha até sua mesa. Neste exato momento, você será descrito com uma palavra!

A pergunta é: **com que palavra você estará sendo descrito?**

Se você tem feito o dever de casa da sua gestão de marca, e estabelecido os sinais corretos na sua rede de relacionamentos, sua imagem refletirá exatamente aquilo que vem planejando: você está articulando todos os movimentos corretos, sua carreira pode não ser a mais brilhante, mas é ascendente, então pode ficar tranquilo. Aquela palavra que foi dita certamente impulsionará sua carreira para mais uma pessoa que foi impactada com sua marca pessoal.

Agora, se você nunca pensou nisso, nunca avaliou sua imagem, nunca tratou de saber que sinais sua audiência está comprando e sempre achou que as pessoas deveriam gostar de você como é, cuidado. Neste exato momento, aqueles dois na mesa ao lado podem estar colocando mais uma barreira para o seu sucesso e mais dificuldades na sua rede de relacionamentos.

As descrições da marca das pessoas são mais ou menos assim:

"Esse sujeito é aquele de quem lhe falei, o fulano. Ele é o <u>melhor do mercado</u>."

"<u>É linda</u>. Tem uma simpatia incrível, mas <u>falta cabeça</u>..."

"Todo mundo fala nela. <u>É uma fera</u>. Sozinha, comanda mais de cinquenta no departamento, com uma simpatia incrível."

"Esse é o sujeito mais <u>engraçado</u> que eu conheço."

"O cara é bom, porém é daqueles que perdem o amigo mas não perdem a piada. <u>Não para em lugar nenhum</u>."

"Esse cara é <u>neurótico</u>. Ninguém aguenta mais de cinco minutos. Parece que está ligado na tomada..."

"Ele já foi bom, mas ficou <u>lento demais</u>. Não aguenta a pressão."

"Ela é <u>brilhante</u>. Fez uma carreira meteórica na empresa."

"Se tem alguém que <u>sabe fazer relacionamentos</u>, esse é o cara."

"Qualquer dia vai cair essa máscara. Não sei como ele engana tão bem e continua lá naquela empresa... Esse é <u>uma farsa</u>."

"Esse cara é <u>uma fera!</u>"

"Essa mulher é <u>histérica</u> no trabalho. Ninguém suporta!"

"Ele era <u>bom</u>, mas..."

A gente faz isso toda hora

Pense em quantas vezes já fizemos isso. Quantas vezes essa cena já se repetiu no teatro, no cinema, num congresso, num bar, num restaurante, na empresa, na rua? Quantas vezes, injustamente, já arranhamos a imagem e a reputação de alguém para terceiros? E quantas vezes já arranharam a nossa com uma descrição que não retratava a verdade? E quantas vezes o que disseram era a mais pura realidade?

E pense ainda: quantas vezes ouvimos essa descrição de marca, conseguimos gravar apenas aquele adjetivo (bonita, fera, chato, engraçado, farsa) e, sem conhecer muito bem a pessoa, saímos repetindo isso por aí, multiplicando esse conceito em nossa rede de relacionamentos? Imagine o poder desse efeito, seja de forma positiva ou negativa, na rede de relacionamentos na empresa, fora da empresa, na reputação no segmento...

Drama de consciência. Imagem e realidade

É aqui que a discussão esquenta. E eu sei o que você deve estar pensando neste momento, caro leitor: "Não me interesso pela opinião dos outros. Sei quanto valho e não dou a mínima para a inveja ou o desprezo com que possam me descrever". Porém, tenho más notícias...

Se mais de uma pessoa já o descreveu como arrogante, é melhor começar a rever suas atitudes! Vivemos numa sociedade em que percepção é realidade, e, quer gostemos, quer não, mais cedo ou mais tarde isso se tornará a realidade. E ela fará muita diferença na sua reputação e na sua carreira.

A maioria de nós entra em conflito nessa parte. Para quem trabalha com marketing, é fácil pensar na ideia de construir uma imagem de produto, mas fica mais difícil quando falamos em imagem de marca pessoal. Eu sei. Também já tive minhas dúvidas quanto a isso, mas compreendi que, se os outros o avaliam de uma forma diferente da que você deseja, não é culpa deles, mas sim sua, por estar dando os sinais errados. Repito: se mais de uma pessoa já lhe disse que você é um grande egoísta, pense bem... é hora de investigar por que vem reforçando esses sinais.

O poder que você tem nas mãos

Imagine o poder que tem nas mãos: você funciona como uma marca multimídia, emitindo sinais 24 horas por dia! É como se fossem vários instrumentos, meios e ferramentas de comunicação trabalhando simultaneamente!

Somos verdadeiros "comerciais de TV", com imagem, áudio, cores, gestos, formas. Somos outdoors ambulantes, cartazes. Criamos nossos spots e bordões particulares, fazemos constantemente ações de marketing direto, de marketing de relacionamento, estabelecemos algumas fidelizações. Emitimos opiniões o tempo todo, além de sinais com nossas roupas, nosso carro, nosso corte de cabelo, nossos óculos, nosso relógio.

Nossa aparência e imagem de marca

Os sinais máis fortes da nossa imagem de marca vêm da aparência. Se somos gordos, magros, altos ou baixos, deixamos a impressão de lentos, rápidos, competentes ou incompetentes. Existe até um famoso estudo que comprova quanto os baixinhos sempre foram preteridos, pois inconscientemente os recrutadores os viam como menos capacitados que os candidatos mais altos.

Bom, isso não pode ser alterado e está fora do nosso controle, mas podemos minimizar os efeitos compensando com a roupa e os acessórios. Estes têm um papel importante na formação da nossa imagem de marca pessoal. São eles que nos definem como um sujeito moderno, um sujeito clássico, um cara que curte a vida ao ar livre. Dá para perceber sinais muito fortes se observarmos com atenção as pessoas à nossa volta. O tipo de óculos, o modelo do relógio ou a falta dele, a caneta, o brinco, a pulseira, a agenda.

É impressionante como não nos damos conta desses importantes sinais de construção de imagem de marca. Cortamos o cabelo e só depois descobrimos que é um corte ultramoderno, que não tem nada a ver com a imagem que queremos passar. Ou pretendemos ser modernos, mas usamos famigeradas gravatas de bichinhos, sapatos pretos e meias brancas. E aqui vai um conselho: se você não for o Washington Olivetto, desista dessas gravatas.

O importante é nos sentirmos bem e adequarmos isso à imagem que queremos transmitir. Tentar ser o que não é será muito pior. O importante é saber que sinais você quer passar e ser coerente. Se não souber algo, procure informação. Existem centenas de manuais para ajudar ou pessoas em quem se inspirar. Bom senso é a melhor receita.

Helga Drummond, em seu livro *O jogo do poder*, fala sobre isso:

Apesar de as pessoas se iludirem com a aparência, procuram sinais sutis de inconsistência, que delatam a outra parte, como meias esquisitas ou um colarinho puído. Inúmeras pessoas que tentaram aparentar o que não eram socialmente foram desmascaradas devido a lapsos, como uma gafe gramatical, um charuto aceso de maneira errada ou uma pronúncia incorreta.

Nossa mesa de trabalho forma a imagem de marca

Nossa mesa de trabalho diz um pouco do que somos e mostra alguns sinais de nossa marca pessoal. Os objetos que estão sobre ela e a forma como está organizada revelam muito sobre a pessoa. É incrível como as salas e as mesas de trabalho podem dar claros sinais da marca de cada um. É como se sobre elas houvesse um grande luminoso com o *slogan* pessoal de cada um. Em algumas se vê uma enorme placa luminosa piscando: "Aqui fica um sujeito bagunçado". Em outras, um estilo impecável, imaculado, como se ninguém trabalhasse ali. Outras ainda retratam o estilo familiar, com fotografias da família espalhadas pelas paredes. Por todo lado, há pequenos símbolos das coisas que as pessoas apreciam e que revelam um pouco da sua marca pessoal.

Há a mesa do vencedor com seus símbolos de poder. Há salas repletas de miniaturas. Há salas com relógios coloridos e bichinhos sobre o computador. Em cada um dos casos é possível ter uma ideia sobre que "marca" habita aquele universo e como são seus símbolos.

Na primeira oportunidade que você tiver, dê uma espiada na sua empresa. Olhe mesa por mesa e compare-as com a imagem que você tem das pessoas. Observe e comprove o que estou falando.

> "Somente os frívolos não julgam pelas aparências. O verdadeiro mistério do mundo é o visível, não o invisível."
>
> **Oscar Wilde,**
> *O retrato de Dorian Gray*

Até as flores sobre algumas mesas têm a cara da imagem de marca do dono. Algumas estão meio secas ou mortas, outras bem cuidadas. Outras são caras e modernas (é, não se impressione, mas há plantas modernas e plantas caretas – ou você nunca foi a um escritório que tinha uma plantinha de arruda na recepção?).

Percorra a empresa e olhe. Você vai comprovar que é incrível o que podemos obter de sinais de uma pessoa visitando a sala dela. Muitas vezes, conhecemos a sala de alguém e não conhecemos o dono pessoalmente, e assim mesmo saímos de lá com uma impressão que dificilmente será alterada.

Agora olhe a sua mesa com bastante atenção e se pergunte: os sinais que a sua mesa dá refletem aquilo que você quer vender como imagem de marca?

Faça as contas dos impactos gerados

Pense bem. Num mês de trabalho, quantos clientes foram até a sua sala e viram sua mesa de trabalho? Quantos fornecedores? Quantos amigos passaram por lá para tomar um café? Imagine quantas vezes a sua equipe e seus colegas entram na sua sala num único dia. Pense nos impactos positivos ou negativos que isso pode proporcionar e na multiplicação que haverá na rede de relacionamentos de cada um deles.

Que sinais a sua mesa de trabalho está dando neste exato momento? Você pode não saber, mas eu garanto que ela é a sua cara!

O que carregamos nas mãos forma a imagem de marca

O que carregamos, eventualmente, retrata um pouco do que somos. O modo de caminhar, o olhar, o tom de voz, o jeito de comer também colaboram para formar imagem de marca. É só começar a reparar no que as pessoas trazem nas mãos para saber um pouquinho mais sobre a personalidade delas. Carregar um livro pode sugerir que a pessoa está buscando saber mais. Se for boa literatura, sem trocar nem uma palavra com ela, ficaremos com a impressão de que gosta de ler e que deve ser culta. Se for um livro de piadas, poderemos ter outro tipo de impressão. Se for uma revista *cult* de design, ou a revista de fofocas da semana, ou um jornal respeitado, ou o caderno de finanças de um grande jornal, com certeza teremos outra impressão.

A pergunta é: **o que você carrega nas mãos todos os dias reflete o que você quer que as pessoas pensem da sua marca?**

Sinais de marca pessoal o tempo todo

Durante todo o tempo, emitimos sinais de quem somos por meio do comportamento, dos símbolos pessoais, da aparência, das interações pessoais. Interagimos de 15 a 20 horas por dia com os colegas de empresa, os amigos, os familiares, os vizinhos. Isso é poderoso quando se trata de trabalhar a imagem. Para o bem ou para o mal de sua marca pessoal, da sua reputação e da sua carreira. Você já pensou nisso?

Nosso carro dá sinais da marca pessoal

Você deve estar pensando que isso é um absurdo, que as pessoas não dão a mínima bola para o seu carro e que isso pouco tem a ver com sua imagem de marca pessoal. Pois eu lhe digo que dão bola, sim, e muita.

Em seu livro *O jogo do poder*, Helga Drummond diz o seguinte:

Na teoria, a autoridade de cada gerente está formalmente limitada e prescrita. Na prática, as impressões de autoridade podem ser manipuladas para aumentar o poder. Gofmann nos lembra de que a palavra "pessoa" tem sua origem no latim "persona", que significa "máscara".

Como em todas as relações de poder, a percepção de autoridade não está na realidade, mas naquilo que o outro acredita ser a realidade. A crença pode ser manipulada pela administração da impressão, que, nesse contexto, significa: desempenhar o papel estereotipado ou, melhor ainda, sobrepujá-lo. Para desempenhar o papel estereotipado, é preciso antes analisá-lo. Isso significa criar a impressão certa, manipulando aparências como roupas, carro, decoração e móveis de escritório.

O carro retrata um pouco disso. A marca, o modelo, a cor falam muito da personalidade de seu dono: estilo esportivo, conservador, moderno, compacto, econômico, potente, barato, caro, importado, sujo, limpo, bem cuidado, malcuidado.

Os carros são um forte potencializador de ajuste de imagem. As empresas fazem investimentos milionários em imagem de marca de cada um dos seus modelos, determinando um estilo de vida para cada um. Ao entrar no carro, você acaba incorporando aquilo que todos sabem sobre aquela marca e transfere essa imagem para você.

Não acredita? Então lembre-se dos modelos Mitsubishi Eclipse comercializados no Brasil. Certamente você já deve ter ouvido a seguinte frase: "Isso é carro de jogador de futebol!". De tanto vermos no passado esses modelos associados a jogadores emergentes e como símbolo de *status* para eles, acabamos achando que vão nos deixar com cara de jogador de futebol que ficou rico recentemente.

São carros maravilhosos, com certeza, mas o importante é saber se vão se ajustar à imagem que você deseja passar ao mercado. A escolha é sua. Se puder, invista num modelo que melhor retrate sua marca. É uma questão de bom senso, e isso vai potencializar sua imagem pessoal.

Os sinais exteriores nos carros

Até os famosos adesivos nos vidros retratam um pouco da imagem de marca de cada pessoa, o que nos permite, mesmo sem conhecer o dono, tirar algumas conclusões sobre ele.

Você já deve ter visto aqueles carros lotados de adesivos de Punta del Este e pensado: "Gosto é gosto!". Há os modernos, com propaganda de grifes famosas nos vidros, os que carregam adesivos políticos, os que ostentam marcas de acessórios para automóveis e ainda os que estampam piadas. Sem falar, é claro, naqueles famigerados adesivos: "Quer emagrecer? Pergunte-me como". E você vê um gordo lá dentro.

Cada carro passa uma impressão, um sinal, uma pista sobre o adjetivo que norteia aquela marca pessoal. Podemos saber para que time de futebol o dono torce, seu partido político predileto, seus hábitos de lazer. Ou então se tem filhos, que tipo de bares e boates frequenta, sua faixa de renda, revelada pelo adesivo do banco, o condomínio onde mora... Durante todo o tempo, seu carro, não importam a cor, o modelo, o estilo, dá pistas e sinais de quem você é.

Ainda os carros. Preconceito e percepção, a dura realidade

Você já reparou que, quando as pessoas estão comentando sobre uma barbeiragem no trânsito, geralmente procuram assinalar o carro velho envolvido como o responsável? Inconscientemente, elas associam carro velho com mau motorista, o que, na maioria das vezes, não é verdade. Você e eu sabemos que há muitos BMW e Mercedes com idiotas na direção. Além da ideia óbvia de que um carro velho deve ser mais inseguro, existe o estigma de que dentro dele só pode estar um mau motorista. Isso é preconceito puro, mas também é percepção.

Conclusões sobre a aparência. De novo, a percepção

Só para encerrarmos esse assunto de carros, dou mais um exemplo. Anos atrás, tive como vizinho de garagem, no meu prédio, um médico. Vou chamá-lo de Paulo, aqui. Era muito gentil, e conversávamos sempre quando nos encontrávamos na garagem. Nunca fiquei sabendo a especialidade dele nem onde trabalhava, mas tinha a impressão de que deveria ser um bom profissional.

Cada vez que olhava aquele carro sempre sujo e via lá dentro um monte de coisas no banco de trás (pacotes de biscoitos pela metade, garrafas de água mineral vazias, caixas de amostras de remédios, seu jaleco branco misturados com jornais velhos e pilhas de papéis), arrepiava-me ao pensar que um dia poderia precisar dele para me salvar. De novo, a percepção.

Um conselho: se você não for o Antônio Ermírio de Moraes, que dispensa qualquer comentário sobre sua competência, fama e fortuna (e que tinha por hábito andar sempre num carro popular), avalie com carinho que sinais você anda distribuindo na garagem do escritório, na garagem do seu prédio, na garagem dos seus clientes e no trânsito com o seu carro.

Não! É claro que não! Não estou recomendando que você saia hoje mesmo e faça um empréstimo para comprar o carro importado mais caro. De forma alguma. Mas dar uma olhada naquele banco de trás e lavar o carro com água e sabão não é pedir muito, é? O próximo cliente, amigo ou colega de trabalho para quem você der carona vai ficar impressionado com a sua mudança.

Somos sempre descrentes até acontecer com a gente

Eu sei. Mesmo assim, você acha que a opinião dos outros não interessa muito. Boa parte de nós teve uma mãe que repetiu milhares de vezes (como a minha) que não interessa a opinião dos outros, que temos de ser o que a gente é. Ótimo.

Se você estiver numa ilha deserta ou resolver abdicar da carreira e dos amigos, ninguém se importará mesmo. Mas a realidade é que vivemos em sociedade e cercados de gente por todos os lados. Experimente entrar numa concessionária Mercedes-Benz de bermudas, camiseta e sandálias Havaianas. Tente usar a mesma roupa para ir ao banco pedir um empréstimo e sinta a diferença de tratamento.

E você sabe. Seria estranho demais se encontrássemos na beira da praia um sujeito impecável, de terno risca de giz e gravata preta. Você ainda acha que não? Então experimente fazer uma entrevista numa multinacional e apareça lá com seu uniforme de futebol. Se não for uma empresa da nova economia, tenho sérias dúvidas sobre os seus primeiros cinco minutos de entrevista! A gente reage assim, por que os outros não reagiriam também? Você ainda não percebeu que também avalia os outros assim?

Percepção e realidade.
Dois anos de cadeia, na dúvida

Então suponha que você está encrencado seriamente com a Justiça. Não se assuste, é só uma suposição. Vamos lá, fica mais fácil de entender o poder dos sinais de uma marca pessoal. Você entra em pânico. É coisa muito grave, que pode lhe render por baixo uns dois anos de cadeia mesmo! Eu sei que não é um bom exemplo. Mas você precisa urgente de um advogado tributarista muito bom. Um amigo lhe indica um. Você tem 24 horas para que ele lhe salve a pele. Então vai até o escritório do advogado, conforme combinado por telefone. Suas mãos estão suadas. Você sente um frio percorrer-lhe o estômago, de nervoso.

O endereço o deixou meio apreensivo, porque é no centro velho da cidade, naquela parte que você não frequenta há muito tempo. Chegando lá, descobre que a rua é terrível, com camelôs cercando prédios velhos e cinzentos. Então se dá conta de que não está na Europa e que aqui os prédios estão deteriorados mesmo. O edifício tem uma portaria com um sujeito meio mal-encarado que só resmunga quando você pergunta o andar do advogado. Você pega o elevador assim mesmo.

Ao chegar à sala, uma recepcionista lhe dá boa-tarde e continua a folhear uma revista de fofocas. Com duas ou três palavras, ela lhe pede para aguardar o doutor, que ele está um pouco atrasado e já vai chegar.

Ela lhe oferece café em copinhos de plástico (daqueles que sempre se soltam da base e ficam pendurados nos seus lábios no último gole). Pede desculpas se o café não estiver muito bom, porque a garrafa térmica está com defeito e não tem mantido quente o café.

Você precisa esperar mesmo, não tem outro jeito, e começa a olhar ao redor. Na sala há uma lâmpada queimada, e as divisórias são daquele Eucatex antigo marrom. Você começa a calcular a idade do sofá e descobre que ele deve ter uns dez anos ou mais. O revestimento está puído, com alguns pequenos buracos que revelam o enchimento de esponja branca. O nervosismo aumenta e você pega uma revista para tentar se distrair. Na pilha, há umas *Veja* do ano passado com a capa amassada e rasgada, dois exemplares antigos da Associação dos Advogados Tributaristas e uma *Caras* do tempo em que a Adriane Galisteu namorava o Airton Senna.

Ao olhar o relógio, sente um aperto no coração. Não dá mais para conseguir outro advogado, vai ter de ser esse mesmo.

Ele chega sorridente e o cumprimenta e pede desculpas pelo atraso, explicando que o carro enguiçou de novo. Conta que é a terceira vez nesta semana que a bateria fica fraca e o deixa na mão. Você, de cara, percebe que o terno dele não é nenhum Ermenegildo Zegna e que a camisa está com o colarinho meio amarrotado. Finalmente, meio suado, ele lhe pergunta: "Qual é o problema?". Você fica paralisado. (Corta a cena.)

Sua vida estará nas mãos desse profissional. Você não sabe nada ainda das qualidades e competências dele, mas precisa fazer uma escolha com base nos sinais que tem e na sua percepção. Então, agora assinale uma das alternativas abaixo:

Alternativa 1 ( ) Esse sujeito é um ótimo profissional. Deve ter sido o mais brilhante da faculdade, daqueles que não davam bola para a aparência e dormiam com o código civil e o penal todos os dias. Ficou famoso, mas abdicou de tudo e se libertou da opressão da busca de bens materiais. Mudou-se daquele bairro charmoso e hoje leva uma vida franciscana e se dedica ao Direito noite e dia, sem pensar nas frescuras dos advogados.

Alternativa 2 ( ) Esse sujeito certamente é um fracassado profissionalmente, pois não consegue nem ao menos se sustentar. Você está seriamente encrencado. Pega o celular e avisa à sua mulher que provavelmente vai ficar ausente por uns dois anos.

Percepção e realidade. Sua vida em jogo

Mas advogados não são bons exemplos. Tente pensar no seu médico. Médicos são melhores exemplos, porque o produto deles é bem tangível – sua vida!

Você se lembra da primeira vez em que foi a esse médico? Por acaso pediu para olhar o currículo dele? Viu suas notas na faculdade? Será que foi um aluno brilhante, do tipo CDF, ou era daqueles que passavam nas costas dos amigos, sempre com média 7, mais ou menos arranhando? Será que fez especialização fora do país? Será que o exterior de que ele falou não foi a Bolívia? Como pode ter certeza de que ele é um bom médico?

É claro que você vai responder: "Eu não morri, estúpido, estou aqui, vivinho da silva, lendo este livro!". Isso é óbvio. Mas não me refiro ao produto esperado, que é, lógico, a saúde restabelecida. Sem isso, nada feito. A minha pergunta é: o que faz dele um médico melhor do que a outra centena de especialistas do bairro?

O que quero dizer é que, na maioria das vezes, a gente compra outros sinais que não o principal, que seria a saúde restabelecida. Vamos a dois médicos da mesma especialidade, temos a mesma solução, mas um deles nos encanta e saímos espalhando por aí que era um excelente médico. Recomendamos aos amigos e aos familiares.

E, muitas vezes, sabe o que nos fez pensar que ele era um excelente médico? Isso mesmo. Ficamos impressionados com o endereço fácil de estacionar num bairro agradável. Um edifício iluminado, limpo, com um ambiente decorado com bons móveis, uma secretária sorridente e extremamente atenciosa. Revistas atuais na sala de espera (uma raridade), café gostoso (outra raridade). Um profissional que atende os clientes dentro do horário (isso é raro demais para os médicos), com um sorriso amável, gentil e atencioso.

Muitas vezes o diagnóstico é o mesmo. O remédio receitado é idêntico. Mas a impressão que as duas marcas de médicos nos passam é completamente diferente.

Podemos estar redondamente enganados quanto a isso. O advogado do exemplo acima pode ser a maior fera tributarista que existe, e o médico que acabei de citar talvez seja o resultado de uma tremenda manipulação de aparências. Pode ser bastante medíocre com uma clientela fraquíssima e todo aquele aparato no consultório ter sido presente de alguém, herança do pai, ajuda do sogro, sei lá. O que interessa é que também julgamos assim e somos implacavelmente medidos e avaliados dessa forma.

A pergunta é: **que sinais a sua marca está emitindo neste momento?**

No livro *As 22 consagradas leis de marcas*, Al Ries e Laura Ries definem bem o que chamam de "a lei da palavra":

O que lhe vem à mente quando pensa em ter um Mercedes? Se você pudesse abrir com uma alavanca a cabeça de um típico comprador do automóvel, provavelmente acharia a palavra "prestígio" intimamente identificada com a marca. Diga a verdade: você não associa prestígio à marca Mercedes-Benz? A maioria das pessoas, sim. Também pode associar à marca atributos como "caro", "alemão", "bem projetado" e "confiável", mas a diferenciação essencial é prestígio. Lamborghinis são caros, Audis são alemães, Hondas são bem projetados e Toyotas são confiáveis, mas nenhuma dessas marcas transmite o prestígio de um Mercedes.

No livro *Foco*, Al Ries afirma:

Se você quer construir uma marca, deve concentrar seus esforços de branding para ter uma palavra na mente do cliente em potencial. Uma palavra que ninguém mais tenha.

E acrescenta:

Ter uma palavra na mente do público é uma potencialidade fundamental do líder, muito mais valiosa do que seus escritórios, fábricas, armazéns e sistemas de distribuição. Sempre é possível substituir uma instalação física que tenha sido incendiada, mas não é fácil substituir uma palavra na mente do prospect.

É dessa palavra que falo. É a esses sinais que resultarão numa palavra na mente das pessoas que me refiro. Esse conjunto de sinais acabará por formar um conceito da sua marca pessoal. Uma promessa de marca. Esse conjunto de sinais dará forma à sua imagem de marca e você será descrito por algumas palavras, mas ficará marcado por uma ou duas. A escolha é sua.

Minha pergunta é: **qual é a palavra que o descreve, neste momento, na sua rede de relações?** Inteligente? Rápido? Amigo? Charmosa? Vazio? Chato? Fera? Engraçado? O Melhor? Competente? Mala? Esnobe? Arrogante? Gostosa? Azedo?

Se você ainda não pensou nisso, é bom começar a pensar, porque aquilo que vale para marca de produtos vale também para celebridades, para indivíduos. Vale para você.

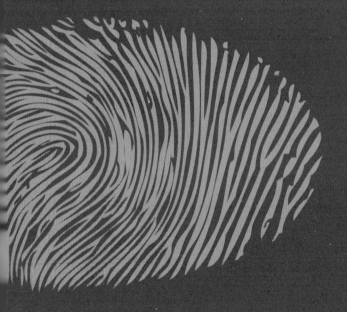

Capítulo 3

arthur Bender

poder dos objetivos

Se você não tem objetivos nem metas, não tem nada!

Diga sem pestanejar: quais são seus objetivos para este ano? Vamos! Rápido, sem pestanejar! Vamos lá! Pelo menos três. Concretos, rápido! Não! Não vale dizer que quer ser feliz. Todos nós queremos ser felizes.

Exercite um pouco a imaginação. Se você tivesse, hipoteticamente, o poder de decidir o que quer conquistar e se isso fosse conseguido agora, num estalar de dedos, o que seria? Fama? Fortuna? Reconhecimento? Reputação? Quanto é uma fortuna para você? Dobrar o salário? Triplicar?

É fama que você quer? Quanto de fama lhe basta? Isso representa um cargo novo? Uma promoção? Uma nova empresa? O seu próprio negócio? Em que setor você quer brilhar? Como quer ser reconhecido? O que é reconhecimento para você?

Você não tem isso muito claro na mente, neste momento? Precisa de um tempo para pensar? E para os próximos cinco anos? E para a próxima década?

> "A imagem do sucesso tem mais valor do que o sucesso tangível."
>
> **Derek Lee Armstrong e** *Kam Wai Yu,* *O princípio persona*

Você consegue visualizar onde quer estar e o que gostaria de fazer daqui a dez anos? Não?

Como assim, não?

Já imaginou que pode estar com a carreira desgovernada andando ao sabor do vento? Se você não tem metas nem objetivos claros, desculpe-me, mas você não tem nada! Está indo, somente. E, como dissemos no capítulo 1: quem não sabe para onde está indo vai parar em qualquer lugar.

Essa é a parte vital do seu plano de marca pessoal. Você tem de ser a pessoa que mais sabe dos seus objetivos e metas pessoais. Por quê? Porque você é a pessoa mais importante para a sua marca, e seus objetivos são o ponto de partida para qualquer virada que você queira dar, seja ela qual for.

O problema do quero, mas não sei o quê

É comum encontrarmos pessoas que não têm a mínima ideia do que querem de concreto na vida nem de para onde estão indo. Elas dizem que querem muito melhorar, que rezam todas as noites para que as coisas aconteçam de verdade, mas nada aconteceu ainda. Quando você pergunta que coisas são essas, elas se atrapalham, gaguejam e não conseguem se expressar. Não conseguem traduzir com clareza qual é o seu objetivo.

Eu lhe pergunto, leitor, como você quer que as coisas "melhorem" se você mesmo não sabe o que quer da vida? Isso parece óbvio? Pois é, mas o óbvio ainda é um grande problema para muitos descontentes com a carreira e a profissão.

A maioria das pessoas, no fundo, só quer que as coisas melhorem, mas não faz nada para que isso aconteça. Não sabem dizer se para elas isso representa um melhor salário, um novo cargo, uma nova empresa. Só ficam se lamuriando o dia todo e, se você indagar, não conseguirão dizer nem do que não gostam, muito menos o que realmente querem da vida. E aí as coisas não acontecem mesmo. Se você não sabe, quem vai saber?

Quero ir, mas não sei para onde

Certo dia, um antigo colega de trabalho me contou que estava muito descontente com a empresa e que pensava seriamente em sair. Disse que não aguentava mais as coisas como estavam e que decidira espalhar alguns currículos por aí e começar a buscar novas oportunidades de trabalho. Estava chateado porque no fundo gostava da empresa e sentia-se triste por ter de abandonar o barco, mas não tinha outro jeito mesmo. Estava decidido.

Eu lhe perguntei o que o incomodava. Ele me falou que várias coisas o incomodavam. Perguntei novamente se ele tinha certeza do que não gostava, se realmente eram essas as coisas que o levavam a querer ir embora. Ele vacilou.

Perguntei se era o seu diretor que não dava espaço para ele crescer. Ele disse que não sabia se era isso, mas que podia ser também. Perguntei se eram os clientes que ele estava atendendo que o incomodavam e que o deixavam insatisfeito. Ele disse que talvez, mas não tinha certeza, mas que também era um pouco disso. Perguntei se estava claro para ele se era a empresa, o cargo que ele ocupava ou a profissão que exercia.

Nada estava muito claro. Era um pouco de todas essas coisas que o incomodava, mas nenhuma especificamente.

Aí eu lhe perguntei se achava que numa outra empresa do mesmo segmento ele não encontraria as mesmas coisas: um chefe que podia não dar muito espaço, uma empresa cheia de estresse, uma agenda lotada de trabalho, clientes complicados. E ele disse que sim, que corria o risco de encontrar tudo isso mesmo.

Então pedi a ele que pensasse bastante sobre isso e analisasse se valia a pena sair sem saber muito bem por quê, sem ter muito claro o que realmente queria da vida. Ele pensou e, graças a Deus, não saiu. E tenho certeza de que está se acertando, porque é um ótimo profissional.

O que aconteceria se ele tivesse saído e tentado outra empresa? Seria uma nova loteria profissional. Primeiro a pessoa precisa saber o que a incomoda. Se for a profissão que escolheu, não vai adiantar ir para uma nova empresa do mesmo setor, pois continuará a encontrar o mesmo cenário e os mesmos problemas e o ciclo se repetirá. Se ela descobrir que não gosta do cargo que ocupa, da função que exerce, é bem mais fácil, é só planejar a mudança. Pode ser complicado, mas não é impossível. Muitas vezes, é bem mais fácil do que se imagina migrar, dentro da própria empresa, para uma área que seja mais prazerosa e em que se possa produzir com muito mais qualidade. Às vezes, numa boa conversa com o superior, pode-se abrir uma nova e grande oportunidade. Mas as pessoas geralmente escolhem o que é bem mais complicado e chato, a lamúria diária:

"Não aguento mais isso aqui!"
"Vou largar tudo!"
"Vou embora para qualquer outro lugar!"
"Prefiro qualquer outra coisa a aguentar isso mais um ano!"
"Neste ano vou chutar o balde. Largo tudo e não volto mais!"
"Qualquer coisa, menos isso!"
"Não sei para onde vou, mas aqui não fico mais!"

Não existe paraíso para quem não sabe do que gosta

E vai adiantar? É claro que não! Não existem paraísos empresariais, existem empresas piores e empresas melhores. Mas em todas elas se encontra gente de todo tipo. Sempre haverá quem pense em derrubar você, quem faça intriga, gente fraca, chefe complicado, estruturas fracas, deficiências, clientes complexos, segmentos em crise, pressão por resultados e por aí vai.

E sabe o que vai acontecer? Você vai começar tudo de novo. Primeiro vem a decepção (passada a novidade do ambiente), depois o estresse de ter jogado o que tinha fora e ter começado de novo, fazendo a mesma coisa. Em seguida, você descobre que na empresa anterior algumas coisas eram até melhores do que nesta. E assim os problemas recomeçam, só que com um detalhe: alguns anos foram perdidos pela avaliação errada.

Você já se perguntou se o problema é a empresa ou você?

Isso não está claro? Então, avalie a empresa, o cargo, a função e tudo o que você acha que o incomoda, mas não se esqueça de se auto-avaliar também com o mesmo rigor. Você precisa ter clara a seguinte questão-chave: o problema é com a sua empresa ou com você? É difícil saber? Mais difícil para a sua carreira é não ter isso muito claro. E aí, amigo, nenhuma empresa, cargo ou função vai servir mesmo.

Por isso, questione-se o tempo todo. É preciso saber o que o incomoda hoje e o que quer da vida profissional amanhã. É uma atitude simples. Mas, acredite, poderosa! Isso cria um filtro técnico para suas decisões. Proporciona um rumo claro para suas ações, além de ajudá-lo muito na escolha dos caminhos a seguir. Sem objetivos e metas claras, sua carreira será uma colcha de retalhos de tentativas, acertos e erros, com resultados nada garantidos.

Sua imagem também ficará fragmentada com sinais ambíguos em cada uma dessas incursões ao acaso. A percepção de quem está de fora, determinando o valor de sua marca pessoal, será que você não está muito seguro com relação ao caminho (na melhor das hipóteses) ou que está completamente perdido (na maioria das vezes).

Se você está feliz assim e acredita que sucesso na carreira é uma questão de sorte, o.k. Continue assim. Mas, se não está satisfeito, a primeira coisa a fazer é parar de reclamar da situação, dos outros ou da empresa e tomar uma atitude coerente agora mesmo. Isso só depende de você e de mais ninguém. Você escolhe: ser refém das circunstâncias ou gerenciador do seu valor pessoal. É simples e realista assim.

A pergunta é: **quais são seus objetivos? Ainda não tem? É bom começar a pensar nisso agora!**

A força dos objetivos

Existem várias teorias sobre o assunto. Uma delas é que, ao escrever suas metas e objetivos numa folha de papel, você se compromete com eles e o universo conspira a seu favor. Uma teoria meio à Paulo Coelho, concordo, mas que pode funcionar se você acreditar nisso.

Outros dizem que, se escrever suas metas e objetivos numa folha de papel e olhar todos os dias para eles, você se comprometerá com isso. Criará uma atitude mental favorável que o ajudará a se concentrar naquilo que quer. No mínimo, vai decorar isso de tanto ler e repetir, o que pode ajudá-lo a manter a mente focada nos seus objetivos.

Eu não descarto nenhuma das duas. Acredito nessa "conspiração cósmica" com aquilo que está escrito, mas acredito também que o poder maior é do seu próprio compromisso. Quando você escreve, é obrigado a pensar no assunto. Ao escrever, automaticamente está mentalizando e se comprometendo com o que quer. E isso passa a ser um compromisso pessoal com a sua marca e com você mesmo.

Crie seu método

Há muitos anos criei o hábito de, no final do ano, escrever minhas metas e objetivos para o ano seguinte e, no mínimo, para os próximos cinco anos. Pego uma cartolina pequena e registro vários títulos: Objetivos maiores, Objetivos profissionais, Objetivos pessoais, Objetivos culturais, Metas de curto prazo etc. Objetivos maiores são aqueles dois ou três que você persegue muito, são estratégicos e norteiam todos os outros. Alguns envolvem o lado pessoal e o profissional e são mais abrangentes. A visualização deles engloba todo um histórico de trabalho e abrange uma visão de futuro mais longa, de cinco ou dez anos. Eles são o alvo estratégico para a sua carreira. A sua visão maior da sua marca pessoal.

Depois, escrevo três ou quatro colunas com outros objetivos para o ano seguinte e para dois ou três anos à frente. E coloco nelas títulos como: Objetivos profissionais, Objetivos culturais, Objetivos pessoais.

Você pode criar quantas colunas achar necessárias e anotar em cada uma delas três ou quatro objetivos a serem cumpridos e as expectativas de data a serem alcançadas no ano. Isso dá um sentido de urgência e compromisso com um prazo a ser vencido. E faz com que você ajuste todo o seu cronograma de trabalho, mês a mês, em função das datas assumidas.

Nos objetivos profissionais não seja genérico, seja específico. Se quer um salário melhor, escreva quanto é. Se quer uma promoção, anote o cargo desejado. Se quer mudar de empresa, pense em que empresa quer trabalhar e coloque o nome dela. Se quer mais lucros com sua empresa, estipule quanto deseja de lucro naquele ano. Se for bônus, escreva o valor do bônus.

Nos seus objetivos pessoais, podem constar a marca e o ano do carro que você quer, a casa dos seus sonhos, a reforma a ser realizada, uma nova aquisição, a compra de uma casa de campo, um apartamento na praia, uma viagem etc. Descreva seus objetivos no máximo em uma linha, mas seja claro. Se deseja um apartamento novo, anote o bairro, o número de dormitórios e detalhes sobre ele.

Organize quantos campos quiser, divididos em áreas. Abra quantas forem necessárias: Trabalho, Amigos, Saúde, Educação etc.

Use o bom senso para planejar suas saídas

Use o bom senso. Não estabeleça um objetivo impossível de ser alcançado. Ele precisa ser alto o suficiente para você se esforçar. Deve ser um pouco maior para que seja desafiador. Reflita bastante nessa hora. Faça uma retrospectiva da sua trajetória profissional. Liste tudo o que o incomoda. Pense em alternativas viáveis para alterar esse quadro.

Visualize essas saídas. Se precisar, escreva algumas alternativas, como saída 1, saída 2, saída 3. Depois de um ou dois dias, retome-as e só então ponha no papel a que você julga possível atingir. As saídas podem exigir um grande esforço, mas não devem ser impossíveis.

Você não vai se transformar num artista de Hollywood em três meses, a não ser que aconteça um milagre de visibilidade com a sua marca da noite para o dia e você tenha talento para isso. Use o bom senso, mas seja corajoso nessa hora. O objetivo deve ser uma mistura de sonho e realidade concreta. Precisa fazer com que você se esforce por ele. Deve impulsionar sua carreira para a frente. Tem de obrigar você a sair da zona de conforto. Precisa ser mobilizador.

Há muitos manuais para apoiá-lo nessa tarefa, mas, embora seja um procedimento simples, que não vai levar mais do que uma hora, será o passo mais importante para o seu planejamento de marca pessoal. Faça-o do seu jeito, com a sua cara. Ele será o ponto de partida para você refletir sobre sua vida profissional, sobre o que quer dela e assim poder descobrir as estratégias para chegar lá. Carregue essas anotações na sua pasta de trabalho, na bolsa ou guarde em algum lugar da sua casa para o qual você olhe rotineiramente. Isso funciona muito bem no dia a dia.

O prazer de conquistar

A cada objetivo alcançado, faça um grande risco sobre ele com um pincel atômico colorido e anote ao lado: "Conquistado!".

Você vai o descobrir o imenso prazer de fazer isso. É quase como o de uma criança que ganha um brinquedo novo no Natal! É genial ir até o seu quadro de objetivos e dizer: "Estou aqui assinalando mais uma das minhas conquistas!". Você vai achar fantástico fazer isso! Pode acreditar. Isso lhe dará forças para ir atrás das conquistas seguintes. Quando sentimos essa força ao conquistar os primeiros objetivos, tudo se torna mais palpável e ganha corpo. Acredite.

Se você quiser, crie um programa de recompensas pessoais. Isso mesmo! Parece meio esquisito, mas funciona. A cada objetivo, atribua a si próprio um prêmio compatível com a conquista. Permita-se comemorar essa realização. Pode ser um jantar naquele restaurante especial. Ou uma compra desejada. Ou ainda uma viagem. Estipule prêmios compatíveis com o esforço de cada meta. Vibre com cada uma dessas conquistas e sinta uma energia especial para enfrentar as próximas.

O poder dos objetivos

Você se levanta de madrugada para tomar o avião das seis da manhã para uma reunião com clientes. Está exausto porque ficou na empresa até as onze da noite preparando sua apresentação, chegou em casa e teve de preparar todo o material, a mala etc. Foi se deitar às duas da manhã. E acorda amassado, sentindo que não dormiu nada, olha-se no espelho e sente o corpo cansado, pedindo mais algumas horas de sono. E, em seu diálogo interior, você se pergunta: por que diabos estou fazendo isso? Por que esse sacrifício todo?

Então olha para seus objetivos e sente a força deles. Você diz: "Estou aqui para conseguir aquilo que tracei para a minha vida. E estou feliz porque isso que estou fazendo é mais um passo para eu chegar lá. É isso que gosto de fazer e vou fazer porque sei quanto será importante para a conquista dos meus objetivos!". Se você não tem metas nem objetivos claros, garanto que essa mesma cena terá outro significado e outro peso na sua vida. Um peso e uma força que prejudicam a saúde.

Nas horas difíceis

Você não imagina quanto isso é poderoso nas horas difíceis que enfrentamos uma vez ou outra na vida: um sacrifício com a família, um desencontro com um colega na empresa, uma decepção, um negócio certo que acabou não se concretizando, a perda de um importante cliente.

Nessas horas, sentimos que precisamos visualizar para onde estamos indo. Necessitamos de alguém que nos ajude a entender aquele momento. Nessas horas, ter objetivos nos ajuda a entender os percalços e os sacrifícios que precisamos fazer para chegar lá. Os objetivos e metas pessoais tornam-se aquela luz lá na frente que continua a mostrar o caminho e a dizer: "Continue!".

Pinte o seu futuro

Alguns especialistas em carreiras ensinam que melhor ainda do que anotar seus objetivos é descrever seu futuro. Pegue uma folha de papel e descreva uma situação que você quer muito atingir. Anote como se sente por ter alcançado seu grande objetivo naquele ano, como se tivesse acabado de conquistar aquilo. É um exercício para visualizar e sentir o prazer de ter conquistado sua meta. Use a imaginação e detalhe toda a cena.

Visualize seus objetivos

Outra ideia é anexar às suas anotações um recorte de revista com o carro dos seus sonhos, uma imagem que lembre o apartamento que você quer, uma figura que ilustre sua casa nova, sua viagem, seu cargo, a posição desejada. Isso vai reforçar no seu cérebro aquilo que você deseja.

No livro *Atitude é tudo*, Keith Harrel, um dos mais famosos conferencistas motivacionais americanos, descreve uma passagem muito interessante sobre o efeito da visualização:

Os mais recentes estudos sobre psicologia do alto desempenho demonstram que a maioria dos grandes atletas, cirurgiões, engenheiros e artistas utiliza, consciente ou inconscientemente, afirmações e visualizações para aperfeiçoar as habilidades que possuem. O Dr. Maxwell Maltz, figura de renome no mundo da cirurgia plástica estética e corretiva, escreveu um dos primeiros livros que estabeleceram o verdadeiro poder da visualização para controlar e administrar as atitudes positivas. Maltz tinha 61 anos de idade em 1960 quando escreveu seu clássico livro de autoajuda, Psicoci-

bernética. *Ele percebeu que muitos pacientes que o procuravam em busca de feições mais harmoniosas continuavam sentindo-se inseguros e infelizes, apesar de terem conseguido um rosto perfeito. Foi assim que ele acabou notando que a visualização é um poderoso método de autoterapia.*

Em *Psicocibernética*, Maltz narra uma experiência de visualização que realizou com um time de basquete. Ele obrigou cinco jogadores a praticar cobranças de falta durante vários dias. Enquanto isso, outros cinco deveriam praticar apenas mentalmente, visualizando a conversão de todos os arremessos livres em pontos. Depois de cinco dias de exercícios, Maltz colocou os dois grupos frente a frente, cobrando faltas. Os jogadores que se visualizaram convertendo os arremessos em pontos saíram-se muito melhor que os outros, que só praticaram arremessos reais.

Exercite a ideia de visualizar o seu futuro como marca

Visualize seu futuro todos os dias. Releia sempre que puder aquela descrição que você fez de como está se sentindo por ter alcançado aquilo que queria. Procure olhar rotineiramente todo o seu quadro de objetivos até que tenha decorado ponto por ponto. Revise suas metas e as datas-limite e reflita sobre como está o andamento dessas conquistas. Descubra o que o está impedindo de alcançar suas metas.

Se você acha que esse é um daqueles conselhos que só se encontram em livros surrados de autoajuda, devo lhe dizer que você está completamente errado! Em toda empresa organizada, em todo empreendimento sério, há uma lista de objetivos que encabeça um plano de negócios, um planejamento de marketing, um plano de comunicação consistente. Sem objetivos, nenhum planejamento estratégico poderá ser realizado. Em planos estratégicos, a primeira coisa que precisamos ter em mente é a definição dos objetivos a ser conquistados. É a visão de futuro, o ponto inicial de qualquer plano de marca corporativa. Sem visão e objetivos, nenhum plano de marca pode ser construído: nem de empresas, nem de marcas, nem de pessoas. Sem visão de futuro, objetivos e metas claras, não existe plano.

Pense como uma grande empresa

As grandes empresas cobram objetivos anuais e recompensam seus diretores pelas conquistas desses objetivos. Acionistas guiam e avaliam o desempenho da empresa pelo resultado dos objetivos. As grandes marcas fazem isso. Os governos fazem isso. Os militares na guerra traçam suas metas e seus objetivos. Por que, para o sucesso da sua marca pessoal, isso seria diferente?

Keith Harrel diz ainda o seguinte sobre objetivos:

Percorrer a vida sem nenhum objetivo é como tentar chegar a um endereço desconhecido, numa cidade desconhecida, sem ter nenhum tipo de orientação ou mapa rodoviário. Você talvez acabe chegando aonde quer, mas o mais provável é que tenha de se contentar com um lugar apenas – aceitável. Se quiser evitar ser mandado de um lugar para outro, precisará estabelecer prioridades, e isso só será possível por meio dos objetivos.

Planeje a sua visão refletindo sobre o passado

Faça hoje mesmo a sua lista de objetivos. Isso é muito sério. Não é recomendação de autoajuda barata, mas uma etapa técnica imprescindível de qualquer plano sério. Para começar a traçar seus objetivos de marca pessoal, comece pensando em toda a sua trajetória profissional. Relembre passagens marcantes, decepções e alegrias. Pense naquilo que você gosta muito de fazer – aquilo que, quando começa, não quer parar mais e as horas passam voando.

Reflita sobre suas habilidades e capacidades aplicadas no sucesso e no fracasso de suas experiências passadas. Pense em cada um dos projetos realizados e pergunte-se: por que algumas experiências deram muito certo? O que fiz e que atitudes tomei naquele exemplo de sucesso? E naquelas em que não obtive sucesso? Que componentes marcaram essas experiências? O que posso aprender sobre minha marca pessoal com minha trajetória passada? O que me proporcionou muito prazer em realizar esses projetos? O que me causou desconforto? Onde fui autêntico e consegui ter sucesso com minhas habilidades?

Pense agora no mercado em geral. Pense em seu segmento. Pense na sua empresa, com isenção. Pense nas chances que você tem dentro dela para crescer. Se não tem, pense onde poderia começar a ter. Reflita usando todo o seu bom senso de novo. Pense se aquilo de que você gosta permite que se mantenha financeiramente e que prospere. Analise todos os aspectos (positivos e negativos) dessa posição. Veja a que distância você está dos seus sonhos. Analise cada um deles com calma e seriedade.

Com base nessa ampla reflexão (seu passado, suas experiências, habilidades, fontes de prazer, fontes de angústias), estabeleça metas e objetivos reais. Ambiciosos, altos, desafiadores, mas passíveis de ser realizados num determinado tempo. Visualize cada um desses sonhos traduzidos em objetivos. Tente criar essas cenas no seu cérebro e incorporá--las depois no seu dia a dia. Coloque nessa lista de objetivos todas as prioridades e as respectivas datas previstas.

Comece hoje mesmo. Não espere mais

Não importa a posição em que você está hoje. Não existem posições impossíveis de ser alteradas. Sempre é possível fazer ajustes e redirecioná-las para o lugar que queremos. Mas é vital que você saiba qual é esse lugar. Os objetivos são o ponto de partida, são o referencial. Você não pode viver sem objetivos. Eles passarão a ser o seu impulsionador, o seu guia para todas as horas numa atitude de ativismo em torno da sua marca pessoal.

Todos nós nascemos para ser felizes, para prosperar na vida. Isso não é privilégio de uns poucos. Não é uma questão de sorte. Eu diria que é uma situação objetiva de "encaixe" das suas habilidades e competências na posição exata da necessidade do mercado. Uma questão de *fit* com sua mais autêntica promessa de valor de marca. Pode ser difícil no início, mas não é impossível. Toda grande caminhada começa com o primeiro passo, e, na administração da sua marca pessoal, o primeiro passo é visualizar o seu desejo de futuro. Sem isso, amigo, nada feito!

Ao longo dos próximos capítulos deste livro, vamos discutir estratégia, táticas, mecanismos e ferramentas práticas para a criação e a implementação de um plano de marca pessoal. Mas sem objetivos nunca haverá um plano. Nada será consistente e aplicável se não for vencida essa etapa. Por isso, comece agora, comece hoje. E não pare de refletir sobre isso enquanto não tiver uma visão clara do que quer conquistar e de para onde deseja ir.

Para onde você quer ir? Há quanto tempo não faz essa pergunta para você mesmo?

Capítulo 4

gir como uma empresa ativista na construção e na gestão de sua marca pessoal

Você precisa pensar como uma empresa

Caso você já esteja convencido de que é uma marca, precisa tomar como modelo as iniciativas e atitudes das empresas bem-sucedidas como forma de gerir seu maior patrimônio, a sua marca pessoal. O que nos faz diferentes das empresas no mercado é a maneira como elas encaram seus planos, metas e objetivos e a forma de implementá-los.

Se você analisar um modelo de gestão de empresa, por mais simples que seja, vai encontrar uma preocupação com as coisas de curto prazo, ou seja, com o faturamento e o resultado mês a mês. São impostos que devem ser pagos, tributos e taxas que precisam ser recolhidos mensalmente, pagamentos de fornecedores, compra de matéria-prima, compra de material de expediente etc. Uma empresa tem de manter as coisas funcionando, e isso implica se preocupar com os pagamentos de água, luz, salários etc. no fim do mês. É uma preocupação de curtíssimo prazo, vital para a continuidade da empresa.

Porém, o que as empresas também fazem (pelo menos as bem-sucedidas) são coisas de curto prazo, que estão sendo pensadas e implementadas no presente, mas que rendem a médio e longo prazos. Ou seja, a empresa investe agora para colher lá na frente, em cinco, dez anos ou mais.

Se uma companhia não se preocupar com a depreciação dos equipamentos, em breve terá máquinas ultrapassadas, perderá produtividade e estará em risco diante do mercado. Se não se preocupar com o investimento no capital intelectual (investimento no treinamento de pessoas), acabará com um quadro de pessoal frágil e ficará vulnerável novamente. Se não estiver constantemente preocupada com o desenvolvimento de novos produtos, novos materiais, novos serviços e equipamentos para o seu negócio, rapidamente ficará ultrapassada.

E o que fazem as companhias? Fazem as duas coisas simultaneamente: preocupam-se com o final do mês, procurando estar com um fluxo de caixa positivo, e preocupam-se com investimentos de longo prazo em máquinas, equipamentos, novas tecnologias, aperfeiçoamento dos processos para obter maior produtividade, treinamentos, compras, novos mercados, tendências etc.

As empresas e nossa marca pessoal

Qual é a diferença básica entre a gestão das empresas e a da nossa marca pessoal? Nenhuma. Ou melhor, deveria ser nenhuma. Estamos gerindo um ativo, nosso maior ativo, nossa marca pessoal. As boas empresas fazem isso de forma brilhante. No entanto, a maioria das pessoas faz uma gestão completamente diferente, com uma visão extremamente míope e de muito curto prazo. Passamos o dia inteiro com o pensamento voltado para o curtíssimo prazo em nossa gestão, sem quase nos preocuparmos com o médio e o longo prazos de nossa marca e carreira. Nossa movimentação não é estratégica, é puramente tática e, na maioria das vezes, defensiva, em reação aos movimentos do mercado.

Pensamos nas contas do fim do mês, na fatura do cartão de crédito, na prestação da casa, do carro, nas despesas com a família, mas nem um pouco, ou quase nada, no longo prazo de nossa marca e de nossa carreira. Há profissionais que só conseguem pensar na carreira a longo prazo quando se trata das próximas férias e do décimo terceiro salário, para tapar todos os furos da má gestão do ano anterior. Nada mais. E entram num círculo sem volta de apenas remendar estragos.

Tapando os furos da caixa-d'água

Sabe como esse modelo de gestão é chamado? Gestão caixa-d'água furada! Você vive tapando furos dessa caixa-d'água que é a sua carreira. Toma uma atitude de emergência para suprir uma dificuldade momentânea, consegue resolver o problema imediato e estraga um processo que estava em curso. Faz um investimento que julgava necessário numa coisa e descobre que ele não será mais útil, porque você está indo para o outro lado agora. Está sempre correndo atrás, apagando incêndios, tapando furos da sua carreira, ao sabor das exigências de mercado, entregue aos reveses comuns de mercado, acuado, estressado, agitado.

Você não tem mãos suficientes

A sensação é de estar abraçado a uma enorme caixa-d'água furada, tentando tapar vários furos ao mesmo tempo. Você já teve essa sensação? Parece que não tem mãos suficientes para vedar todos eles. Você tapa alguns e os outros continuam vazando. Você cansa, muda de posição, mas o vazamento continua. A cada troca de posição, mais água escorre e o desespero aumenta.

E, quando você está assim, não tem mais alternativa. Não consegue mais desgrudar as mãos da caixa-d'água. Não está prosperando, está apenas desesperadamente tentando sobreviver. Só está adiando uma coisa inevitável: a caixa algum dia vai esvaziar e você ficará sem água.

A pergunta é: **o que você está fazendo hoje pelo longo prazo da sua carreira?**

Pensar a longo prazo. Realmente, é difícil. Eu sei. A gente se acostumou a pensar nas emergências e conviver ou sobreviver com elas. De fato, é difícil sair desse círculo suicida de carreira.

Você deve estar pensando: "Como é que esse cara quer que eu pense a longo prazo quando não consigo parar um minuto na vida?", "Como vou fazer um curso para o futuro se não consigo nem ao menos pagar minhas dívidas todo mês?", "Como vou investir na carreira se não consigo nem ter um tempo para mim?". Eu sei. Esse tipo de pensamento também me assusta muitas vezes. É comum.

As estrelas conseguem

Mas saiba que algumas pessoas conseguem. As estrelas conseguem. Os profissionais brilhantes conseguem. E, para nossa surpresa ao estudar a carreira de muitos desses profissionais brilhantes, descobrimos que esse investimento a longo prazo não quer dizer necessariamente investimento financeiro. Trata-se, muitas vezes, de atitudes práticas. E atitudes que, em geral, não requerem dinheiro, somente vontade de fazer.

Quando pensamos em "investimento na carreira", logo abrimos a gaveta e puxamos a desculpa da falta de dinheiro. Logo imaginamos aquele MBA famoso fora do país que requer um afastamento de dois ou três anos e um caminhão enorme de dinheiro. Você ficaria admirado se analisasse a trajetória da carreira da maioria dos profissionais liberais e de empreendedores que conseguiram chegar ao topo dos seus segmentos. Em alguns setores, boa parte chegou lá sem ter um Ph.D.

Se você analisar o perfil de executivos de grandes empresas, encontrará muita gente com uma titulação invejável. Isso é ótimo. Um currículo de peso sempre faz a diferença, mas não é só isso. Hoje, existe um número enorme de cursos de MBA no país. O que era o grande diferencial já está virando padrão em alguns segmentos, e o valor decresce na mesma proporção da oferta no mercado.

José Augusto Minarelli, um dos mais famosos *headhunters* do Brasil, com mais de 3 mil recolocações de executivos, consultoria para mais de 700 empresas e diversos livros publicados sobre o assunto, afirma o seguinte:

Há dez anos, por exemplo, era uma enorme vantagem competitiva no mercado de trabalho possuir um MBA no currículo. Pouco se falava nisso, os cursos eram caríssimos e a maioria deles era oferecida por renomadas universidades no exterior, principalmente dos Estados Unidos.

Hoje, ter um MBA continua a ser. um diferencial, mas, como várias faculdades brasileiras adotaram esses programas acadêmicos, os profissionais de seleção também têm postura mais cautelosa: querem saber antes em que universidade e em quanto tempo o candidato concluiu o curso. Assim, a vantagem agora depende também da análise prévia da pertinência e da qualidade do MBA. O raciocínio do mercado é muito simples: quanto maior o número de pessoas a contar com um diferencial, menos decisivo e importante ele se torna, justamente porque deixa de ser fator de diferenciação.

Isso é mais do que fazer cursinhos

O que falamos aqui, sobre investimento a longo prazo, é muito mais profundo e mais prático do que fazer mais um curso, mais uma pós-graduação ou mais um doutorado. O cemitério de mercado está cheio de doutores com diplomas emoldurados na parede que não sabem o que fazer com eles. As lojas de departamento e o funcionalismo público já lotaram seus quadros de engenheiros, arquitetos, professores, psicólogos, advogados com diplomas e especializações caras, deslocados em outras funções.

Um certificado a mais no currículo não fará diferença alguma se você não souber para onde está indo, como tirar lucro desse diferencial ou se não tiver controle sobre a sua gestão de marca pessoal.

O investimento mais importante na sua carreira, nesse momento, é parar de reagir de maneira automática e pensar estrategicamente na sua marca pessoal. É refletir profundamente em sua trajetória profissional. É tentar descobrir as coisas que o incomodam e o impedem de avançar e quais são as oportunidades e os desafios à sua frente.

O investimento estratégico é avaliar suas forças e fraquezas. É observar os sinais que a sua marca está emitindo na sua rede de relações. É adotar uma postura crítica sobre os seus movimentos e suas atitudes diárias. É pensar como uma empresa. É pensar no curto prazo e também no futuro da sua marca pessoal. É pensar em sustentabilidade. É pensar como as grandes marcas: em perpetuação de valor.

Nesse aspecto, são as suas atitudes que vão mudar sua vida. Elas são mais importantes do que seu grau de instrução, seus cursos, seu passado, suas conquistas, prêmios, medalhas e diplomas.

Pare um minuto para refletir: que atitudes você pode tomar para fazer sua carreira deslanchar? Que atitudes pode tomar para se diferenciar no mercado de trabalho, para valorizar sua marca pessoal? Que atitudes estão colocando em risco a segurança da sua trajetória ascendente? Que atitudes pode tomar para dar um salto maior na carreira? Que atitudes são de curto prazo? Aquelas imprescindíveis que você não pode deixar de tomar. E que atitudes são de médio e longo prazo, que você deve começar a tomar agora para estar preparado mais adiante? Aquelas que vão render lá no futuro, mas que vão estabelecer um diferencial de valor para a sua marca.

Invista na sua marca pessoal

Eu falo aqui de coisas simples. De investimentos práticos que dependem muito mais de boa vontade do que de recursos financeiros. De iniciativas que podem lhe dar visibilidade e novas oportunidades. Você acha que é difícil fazer isso? Que não existem essas oportunidades gratuitas, assim? Então eu lhe pergunto o seguinte: quantas vezes você foi à universidade em que se formou e se ofereceu para dar uma palestra gratuita para os alunos do curso em que se graduou, levando um pouco da sua experiência de mercado e de conhecimento prático?

Quantas vezes no ano passado você parou num fim de semana para pensar num tema da sua área e montar, por iniciativa própria, um curso na empresa para os colegas e funcionários?

Quantos projetos para solucionar problemas da empresa você montou, organizou e mostrou à diretoria no ano passado? E neste ano? Refiro-me àqueles de iniciativa própria, não àqueles óbvios, que lhe pediram (e que, se você não fizesse, seria despedido). Quantos? Dos que foram aprovados, quantos você abraçou com garra, esforçando-se a todo custo, e levou adiante porque acreditava neles?

Quantos cursos você solicitou à empresa e, como ela não liberou a verba, você, numa atitude corajosa, sabendo que era muito importante para VOCÊ, pagou do próprio bolso (ou pegou emprestado), inscreveu-se e foi fazer sozinho?

Você leu algum livro na semana passada? Quantos interessantes leu no mês passado? E no ano passado? O quê?!! Só o livro *Quem mexeu no meu queijo?*

Dentre os livros que leu e adorou, quantos você comentou com os colegas de trabalho para que eles também pudessem ter acesso a esse conhecimento?

Quantos artigos interessantes já escreveu e procurou publicar nos veículos do seu segmento?

Quanto tempo você dedicou à reflexão sobre novas ideias ou projetos ou à implementação de projetos de terceiros na sua entidade de classe, clube, igreja ou associação comercial?

Para qual instituição colaborou no ano passado, aplicando seus conhecimentos e habilidades em favor de uma causa social?

Quantas viagens fez no ano passado, em busca de conhecimento profissional? Nenhuma? Só foi para a praia?

Você se juntou a alguma entidade empresarial da sua área, buscando mais conhecimento ou relacionamentos no setor? Certo, eu sei. Sua cidade não tem nenhum grupo de profissionais, e o seu segmento é muito desorganizado. Ótimo. Já pensou em tomar a iniciativa de reunir profissionais do seu setor e montar um programa para ampliar conhecimentos e trocar experiências?

Quantas palestras gratuitas você realizou no ano passado? Quantas, mesmo? Quantas reuniões de informação e treinamento promoveu na empresa – sem a ajuda dela –, somente pelo prazer de repartir seu conhecimento com sua equipe e trocar experiências?

Você pertence a alguma rede na web de profissionais interessados em temas do seu segmento que possam ser discutidos a distância?

Eu sei. Você vai dizer que não tem tempo e que tudo é sempre difícil na sua vida. Que tem 200 e-mails para responder diariamente, uma agenda sempre lotada e nem um minuto livre. Você acha que a vida dos outros é diferente?

O tempo é o mesmo para todos. O que faz a diferença entre fracasso e sucesso é a forma como você aplica seu tempo. É como diz um amigo meu: "O Bill Gates tem as mesmas 24 horas que nós". É bom pensar no que você faz com o seu tempo e quanto dele aplica naquilo que realmente vai gerar valor para a sua marca pessoal e para a sua carreira a longo prazo.

As estatísticas provam que mais de 90% do nosso tempo profissional é aplicado naquilo que, a longo prazo, não vai gerar nada de valor para nossa marca pessoal e nossa carreira. Operação. Reação. Operação. Reação. E assim vamos, mergulhados numa rotina estressante, sem pensar muito no que vai acontecer lá na frente. É uma viagem cega rumo ao futuro.

A pergunta é: **que tipo de investimento de longo prazo você está fazendo na sua marca e na sua carreira?**

Ontem e hoje. A mudança significativa nas empresas

Antigamente, as empresas eram muito tolerantes com as deficiências de suas equipes e muito complacentes com a carreira de seus profissionais. Nossos pais e avós são um bom exemplo disso. Alguns deles entraram na empresa como *office-boys*, estafetas ou contínuos (como se dizia antigamente) e ficaram lá por décadas a fio até chegar a um cargo de coordenação, gerência ou direção. Um processo lento e passivo de ambos os lados, com muito tempo para acontecer (quando acontecia).

Nessa época, as empresas valorizavam a fidelidade e a lealdade dos seus funcionários e, em contrapartida, ofereciam segurança. Praticamente toda a geração *baby boomer* seguiu essa regra. Era comum os empregados ganharem prêmios por antiguidade e este ser o único reconhecimento que se podia conquistar numa empresa. Prêmios nos cinco primeiros anos, nos dez anos seguintes, nos quinze anos, nos vinte, nos trinta e, aquele final, na festa de aposentadoria, entre os amigos do escritório.

Era o "tempo de casa" que valia

Quanto mais antigo o funcionário, mais reconhecido pela empresa ele era e mais respeitado pelos colegas e pelo mercado. As pessoas dedicavam uma vida profissional inteira a uma única empresa, e os profissionais se orgulhavam de nunca ter se atrasado nem faltado ao serviço.

A empresa os contratava sem nenhum preparo e dava tempo ao tempo. Algumas investiam em alguns cursos, outras contavam com o "exercício constante", que, depois de anos, acabava melhorando a performance dos trabalhadores – aos poucos, com muita paciência, a empresa esperava. Durante anos, eles eram preparados para melhorar. As companhias tinham paciência e esperavam muito tempo o retorno desse investimento.

Hoje, é mais fácil e mais rápido comprar no mercado

E o que acontece hoje? As empresas contratam um *headhunter* para recrutar o melhor profissional disponível do setor. Querem saber quem é o nome do momento, o mais preparado, para roubá-lo da concorrência. É mais fácil, mais simples e mais rápido. Basta oferecer um salário maior,

Personal Branding

um bônus especial, um pacote recheado de recompensas e a empresa consegue os melhores. Ou então prefere profissionais que invistam neles mesmos e se tornem estrelas dentro da empresa ou referências no setor. Gente com iniciativa que buscou seu próprio espaço, construiu sozinho sua marca pessoal. Gente que virou referência no seu segmento pelo talento e pelas iniciativas de construção da sua reputação pessoal.

Gente que ganhou visibilidade e reputação justamente porque escreveu aquele artigo de que falamos há pouco para uma revista do segmento. E sabe o que aconteceu? O artigo foi lido por um importante empresário do setor, que ficou impressionado com a opinião desse profissional e mandou chamá-lo para uma entrevista na empresa. Você acertou. Ele está lá agora, ganhando o dobro do salário.

Ou porque ele deu uma palestra gratuita que emocionou a audiência e acabou sendo vista por vários profissionais, entre eles um *headhunter* que estava na plateia naquele dia e gravou o seu nome como uma das prováveis novas contratações.

Ou porque, numa quinta-feira chuvosa, ele foi à universidade dar uma aula gratuita aos alunos do curso de administração de empresas e foi muito elogiado. Sabe quem estava na aula naquela noite? O filho de um importante empresário do setor, que no dia seguinte soube da atuação brilhante desse profissional pelo próprio filho. Você acha que é sorte? Pode ser. Mas sorte é muito mais o resultado de atitudes positivas práticas com relação à carreira do que qualquer outra coisa.

O que ocorre sempre, na maioria das vezes? As pessoas dizem: "Dar palestras de graça? Eles tão loucos? Vou perder meu fim de semana preparando material sem ganhar nada? Nem sei fazer isso. Nunca fiz e tenho medo de tentar".

"Aula de graça na universidade? Eu não sou professor. E, ainda por cima, não vou poder assistir ao futebol e tomar minha cervejinha gelada. Já chega o que eu trabalho naquela empresa durante o dia". "Ficar escrevendo artigos? Não sei fazer isso. Não tenho tempo e nunca fui muito bom com redações, desde o tempo da faculdade. Não vou perder tempo com isso e já estou velho para começar a aprender. Escrever é uma barreira para mim".

A diferença entre as estrelas e os medianos

Para mim, é clara a diferença de atitude entre os medianos e as estrelas do segmento. As estrelas capitalizam cada espaço que conseguem e transformam isso em momentos geradores de experiências valiosas com sua marca pessoal – momentos de aprendizado e momentos em que dão um pouco mais de brilho à sua imagem pessoal.

As estrelas passam o dia todo cavando oportunidades de ir mais à frente, aprender um pouco mais, exercitar um pouco mais, crescer um pouco mais. São inconformadas com o ritmo natural das coisas. Investem o tempo no aproveitamento dos espaços deixados pela concorrência.

Os medianos, ao contrário, fogem do trabalho de ocupar espaços vazios. As estrelas buscam sempre estar um passo à frente das necessidades do seu setor. Quando os médios chegam lá, elas já estão muito à frente. Pensam como empresas, fazendo investimentos de tempo, energia, aprendizado e experiências para colher a longo prazo. Os medianos são imediatistas e reativos. As estrelas são ativistas da sua marca pessoal, procurando contribuir com os outros e cavar cada vez mais espaços para ser ocupados. Elas veem os problemas da empresa como uma oportunidade de revelar e consolidar suas competências. Os medianos contentam-se com as circunstâncias. Essa é a diferença.

As estrelas são disponíveis. Os medianos nunca podem

As estrelas são disponíveis; os medianos, não. As estrelas estão sempre se preparando para mais um desafio, como se fosse um combustível para o sucesso na carreira. Os medianos não querem sair da sua zona de conforto, nunca. Não arriscam.

As estrelas estão sempre prontas para mais um salto, mais um desafio. Os medianos vivem na defensiva, protegendo-se e esquivando-se de novas responsabilidades. As estrelas buscam sempre se superar naquilo em que não são muito boas ainda; os medianos, não, porque nunca querem correr riscos.

Observe isso na sua empresa e veja quem está sempre disponível e quem nunca está. Compare o resultado das duas carreiras e o valor de mercado de cada um. Constate isso na sua entidade empresarial, no seu clube, no seu condomínio. Você vai verificar que aqueles que estão sempre sobrecarregados são sempre os mais disponíveis. E os que têm poucas coisas a fazer são sempre os que fogem de uma nova empreitada. Como se diz popularmente, se você quiser que uma tarefa seja bem feita, passe-a a alguém que realize muitas coisas ao mesmo tempo.

Viver na média

O mundo corporativo está cheio de gente assim. Gente na média. O que acontece? Desde o ensino médio até o vestibular, a preocupação é com a média das provas. Se a pessoa ficou na média, ótimo, é uma alegria só. É motivo de comemoração. Mesmo quando a média é 7 pontos em 50 questões. O que, convenhamos, equivale a comemorar o fiasco da média de ignorância do resto e da nossa própria. Mas a maioria de nós foi educada assim e acredita que isso é o correto. Ficar na média é muito bom.

Na faculdade, a única preocupação é ficar na média. Ficou na média, tudo bem. Depois de alguns anos lecionando na faculdade, foram poucos os alunos que me procuraram para fazer o Grau C (na minha universidade, era o exame que dava direito a recuperar uma das duas notas do semestre) para melhorar a "média". A grande maioria, quando recebe nota 7 (que era a média na minha universidade), abre um enorme sorriso de satisfação: "Fiquei na média! Ótimo, estou aprovado!".

Profissionais medianos

O que acontece então? Quando ingressam no mercado de trabalho, também procuram ficar na média. Passam a vida na média e, é claro, tornam-se profissionais medianos. O mais terrível disso tudo é que, como dizia um professor meu, a medianidade está muito próxima da mediocridade.

A diferença entre as estrelas e os medianos é que as estrelas não se contentam com a média. É como diz o ditado popular: o bom é o inimigo do ótimo.

Se você se contenta com a média, paciência. Mas há um preço para isso. Sabe qual é? Ter salário médio, visibilidade média, reconhecimento médio, reputação média, bônus médio, uma carreira média, empresa média, vida média. E o pior: sua segurança também será média. Porque, acredite, os médios nunca estão seguros em lugar algum. Sempre pode surgir uma estrela no seu segmento, e aí sua medianidade ficará exposta. Cuide-se.

Pare de ser tão normal

Num mundo de alta competitividade, com milhares de profissionais normais e invisíveis, uma pequena diferença de comportamento e de atitude pode resultar numa enorme vantagem competitiva. O mundo dos profissionais normais está prestes a falir como empresa. A normalidade não leva a lugar algum. Nenhuma marca bem-sucedida atingiu o sucesso por ser normal. O sucesso está ligado à criação de algo novo, diferente. Ninguém está disposto a pagar nem um centavo a mais pelo normal. O normal tem preço médio de mercado, é *commodity*. O valor está na diferença. Isso vale para marcas corporativas e para marcas pessoais. A normalidade só leva à guerra de preços de mercado, e aí, para se manter, você terá de dar muito desconto e fazer promoção com a sua marca. E esse é o primeiro passo para a perda de valor e para a invisibilidade no mercado.

Você pode não acreditar, mas a normalidade não levará você a lugar algum. Num mundo cada vez mais dominado pela igualdade e pela medianidade, o valor está em não seguir o rebanho. O valor está em não seguir as regras, em não se conformar com o estabelecido, em contrariar a normalidade.

Pode parecer estranho, dependendo da ótica pela qual você olhar. Mas reflita bem e me diga se alguém construiu alguma coisa valiosa neste planeta conformando-se com a normalidade. Retroceda alguns séculos e constate isso. Pense nas artes, na música, nos negócios. Não se limite às invenções, mas reflita nas grandes transformações, nas grandes ideias, nas mudanças significativas, nos projetos brilhantes. Se pensar em cada uma dessas coisas, vai concluir que alguém não conformista foi lá, burlou as regras e fez diferente.

A normalidade empobrece

Na verdade, sou radical nisso: acho que a normalidade empobrece e não constrói nada. Aparentemente, ela o acalma, o deixa mais seguro, mas na verdade ela o equaliza, suga sua energia, puxa você para baixo, deixando-o igual aos outros. Ou seja, sem nenhum valor profissional.

Lembre-se de quando entrou pela primeira vez na sua empresa (se for contratado) e pense em tudo aquilo que você constatou e em como teve vontade de fazer algo diferente, de quebrar algumas regras e construir coisas novas. E observe que, hoje, você talvez não veja nem sinta mais nada disso.

Pense em quando montou seu negócio (se for o empreendedor) com aquela enorme vontade e uma clareza absoluta – que talvez não tenha mais. Lembre-se de quando se filiou àquela entidade e dos projetos que lhe passavam pela cabeça – que talvez não passem mais.

A normalidade equaliza

Sabe por quê? Porque você foi obrigado a se igualar para manter a normalidade do ambiente ou do setor. Começou a vibrar na mesma onda que a maioria. Seguiu as regras da casa e virou móveis e utensílios. E talvez você não faça mais a menor diferença na empresa nem no mercado. Sabe por quê? Porque você foi contratado justamente pela diferença que fazia. Foi contratado para desequilibrar a normalidade da empresa trazendo coisas novas, novos ângulos de visão, novas ideias. E, se você se igualou e passou a vibrar como a maioria, não desequilibra mais nada, não confronta mais nada nem serve mais. Se isso não aconteceu ainda, fique atento, pois pode acontecer. É difícil ouvir isso? Não sei.

Mas, se pensar em negócios e inovação, tome o exemplo de Richard Branson, da Virgin, e veja o que ele fez com as vendas de música na época em que atuava no ramo. Pense no que havia no mercado e no que ele fez com a aviação e com as ferrovias na Europa. Pense em Steve Jobs, da Apple, e veja o que ele fez com o mercado e o impacto que isso teve em sua vida. Pense em Ray Krock, do McDonald's, e avalie como era antes e como ficou depois de uma ideia diferente no ramo da alimentação. Pense em Anita Rodick, da Body Shop, e em como ela derrubou as regras no mundo da cosmética e inventou o ativismo empresarial.

Você ainda faz a diferença?

Agora reflita sobre o seu negócio. Olhe para o lado. Olhe ao redor, no escritório. Avalie o seu setor. Pense nos seus produtos e serviços. Pense na sua entidade. Reflita sobre sua marca pessoal e sua carreira. Você está enxergando alguma coisa diferente? Está fazendo alguma diferença? Você faz diferença?

Não siga as regras

A normalidade só vai levá-lo a enxergar aquilo que todo mundo enxerga e fazer aquilo que todo mundo faz. Suas ideias e soluções serão iguais às de todo mundo. A normalidade o conduzirá para o meio da manada, para a invisibilidade. Ser normal, além de não produzir nada de interessante, vai deixar suas tardes de inverno mais pesadas, a pauta mais longa, a agenda tediosa, as segundas-feiras insuportáveis, as conversas menos agradáveis, o mercado e os dias muito mais chatos. Meu conselho: assuma alguns riscos e pare de ser tão normal. O prêmio pode ser fazer algo prazeroso e, quem sabe, até memorável. E, acredite, nada genial foi feito seguindo as regras do mercado.

Dê o primeiro passo agora

Pense hoje mesmo em tudo o que você pode fazer, por sua própria conta, para alavancar sua marca pessoal, dar brilho e conteúdo a ela, diferenciar-se e impulsionar sua carreira profissional. Se já tem objetivos claros, já visualizou seu futuro e sabe para onde está indo, pense agora em como fazer para chegar lá. Podem ser pequenos movimentos, mas as pessoas à sua volta precisam perceber os seus sinais de marca. Você tem de direcioná-los para um único sentido, com um único propósito, que é o de chegar lá, naquele lugar tão desejado.

Avalie todas as oportunidades ao seu redor. Relembre todas as que já deixou passar porque não se deu conta de que poderiam fazê-lo crescer. Reflita sobre todos os problemas de que se lamenta o tempo todo e descubra se não seriam ótimas circunstâncias para você trabalhar. Ponha atitude em sua vida. Não meça esforços para chegar lá. Dê o primeiro passo, mas faça isso agora.

Capítulo 5

Conquiste poder para a sua marca pessoal

A teoria dos espaços vazios na conquista do poder

Toda instituição tem vazios de poder, e quem preenche esses vazios, assumindo responsabilidades, pelos outros ou pela instituição, conquista poder. Uma vez assumido esse controle, ele raramente é desafiado. Se não for desafiado, com o passar do tempo se tornará legítimo e inquestionável.

As marcas de profissionais-estrelas estão sempre observando espaços vazios e buscando uma solução para preenchê-los, como forma de impulsionar sua marca pessoal e dar mais valor à sua carreira.

Toda instituição tem vazios de poder

Toda instituição deixa espaço para isso. Os governos mantêm enormes espaços para ser preenchidos pela sociedade; a família também tem espaços vazios, bem como clubes, instituições e entidades empresariais, igrejas e ONGs. Quem preenche esses vácuos e consegue suprir uma deficiência passa a ser visto como o responsável por isso e como líder pelos grupos.

Os vazios que o poder público deixa numa sociedade, com inúmeros problemas críticos, cria o surgimento de ONGs para preenchê-los. Elas se originam da necessidade de suprir algo de que a sociedade necessita e que não está sendo feito por ninguém. Ao fazerem esse trabalho, passam a ser reconhecidas por isso. Tornam-se respeitadas por essa função, assumem o controle e muitas vezes tornam-se os únicos especialistas a ser consultados quando o assunto é esse.

Nas entidades empresariais, ocorre a mesma coisa. Pense em quantas instituições e entidades sem fins lucrativos existem no país e no mundo. São muitas, e realizam um trabalho que ninguém se dignou a fazer ou a encarar como possível. Mas elas fazem.

No Brasil, há centenas de instituições, fundações, entidades, agremiações realizando trabalhos brilhantes com voluntários que batalharam, criaram o espaço, preencheram o vazio, conquistaram visibilidade com os resultados e assumiram o poder de entidades especialistas naquela área.

Encontre espaços vazios nas empresas

Se você não sabe como isso pode ser uma estratégia de marca pessoal, explico melhor. Numa empresa, há cargos com especificações bem definidas no contrato ou na carteira de trabalho. Nesses contratos sempre se encontra um cargo ou uma função. É assim que empregamos uma secretária, um diretor comercial, um gerente de contas, um gerente de recursos humanos.

O que acontece é que ninguém consegue descrever com exatidão tudo o que um cargo deve abranger, mesmo um bem simples, como o de secretária. Uma secretária precisa regar as violetas da mesa todo dia? Precisa manter as gavetas limpas e organizadas? Está escrito que ela precisa ser gentil? Onde está especificado que ela deve ser pró-ativa, representar a empresa e pensar no crescimento dela? O que será proatividade para ela?

O que não está nos manuais

Nada disso está descrito nos manuais. Como não há muita clareza, as empresas contam com o bom senso de cada um. Uns cumprem à risca aquilo que acham que a empresa espera deles. Outros tentam fazer um pouquinho mais. Aí começa a diferença.

Algumas companhias são extremamente rigorosas em seus treinamentos e descrevem ponto a ponto como um funcionário deve atender seus clientes numa loja, por exemplo. Nesse manual há regras que estabelecem que ele seja gentil, dê bom-dia ou boa-tarde, pergunte o nome do cliente, sorria etc. Mas jamais se encontrará nada prescrevendo o que o funcionário pode fazer para encantar o cliente. Seria impossível inserir tudo num manual. É aí que surgem as oportunidades e os vazios, e quem preenche se destaca e começa a brilhar.

Conforme cresce a hierarquia, torna-se mais difícil ainda. Os profissionais com cargos acima de gerente têm muito mais responsabilidades e muito menos rotinas a cumprir. Um gerente que comanda um grupo de contas com seus assistentes deve manter os clientes satisfeitos, ser responsável pela equipe de trabalho, capaz de gerar novos negócios, de resolver conflitos internos e externos com os clientes etc.

As descrições de cargos são genéricas

Todas as descrições são muito genéricas para poder ser agrupadas num manual. Existem centenas de maneiras de resolver conflitos com clientes, sejam radicais, sejam mais diplomáticas. A maioria delas vai solucionar o problema, só que algumas deixam um saldo positivo na relação e outras nem tanto. Mas o problema é solucionado.

Nesse território, os vazios de poder encontram terreno fértil para crescer e se multiplicar. Nenhum manual conseguiria traduzir na prática o que é ser pró-ativo como gerente de contas. Poderia dar algumas sinalizações e regras mais comuns, mas nunca seria capaz de traduzir. Isso vai depender de você e da sua capacidade de enxergar e preencher vazios.

Se pensarmos na empresa como um todo, encontraremos regras que são conhecidas por todos e rotinas que não estão escritas, mas que são seguidas e obedecidas como normas já instituídas. Por exemplo, as empresas têm um organograma que define quem faz o quê, suas atribuições e responsabilidades. E o que acontece?

No meio dessas definições de cargos e de regras da empresa, existem enormes vazios não descritos em lugar algum, que podem ser preenchidos. São vazios de poder impossíveis de ser descritos em manuais e organogramas. Há os vazios que ninguém enxerga e aqueles imprevisíveis, criados pela movimentação de mercado, pela tecnologia ou por imprevistos corriqueiros nas empresas e instituições.

Helga Drummond, em seu livro *O jogo do poder*, apresenta um quadro que permite visualizar isso de uma forma bastante simples. Segundo ela, existem três zonas nas organizações: 1) zona permitida; 2) zona opcional; e 3) zona proibida. Ela diz que "... mesmo nos sistemas de autoridade mais rígidos, os empregados sempre têm uma margem de opção". Os três níveis abaixo mostram as zonas de controle organizacional:

A zona permitida representa o que a organização permite e/ou encoraja explicitamente, com acordos de estacionamento, direito a férias, horário de entrada e saída e assim por diante.

A zona opcional engloba as questões sobre as quais as regras e normas não dizem nada, são flexíveis ou ambíguas.

Nenhum livro de regras, por exemplo, pode abranger todas as permutas do comportamento humano. Nenhum manual de condições de serviço pode cobrir todos os casos. Todas as organizações complexas requerem flexibilidade.

A zona proibida representa as questões que a organização proíbe expressamente, como "serviços para fora", certos tipos de vestimenta, consumo de álcool durante o trabalho e assim por diante.

Nas três zonas é possível encontrar espaços a ser preenchidos, mas é nas zonas permitidas e opcionais que os grandes vazios estão instalados, à espera de alguém para preenchê-los. É aí que encontramos espaço para crescer. É aí que as estrelas se diferenciam dos medianos, ocupando espaços e criando visibilidade para a sua marca pessoal. Você acha que não? Que tudo na sua empresa corre às mil maravilhas e não existe espaço para crescer mais?

Encontre espaços vazios na organização

Então pense um pouco. Observe quantas coisas poderiam ser feitas no seu trabalho para melhorar o que hoje é realizado de modo precário. Quantas vezes você foi tomar um café na empresa e ficou reclamando de alguma coisa que não estava sendo bem feita?

Quantas vezes já confidenciou aos colegas sua insatisfação com algum procedimento ou falha de um departamento que é crucial para o seu trabalho? Sabe aquele processo que você já viu que não vai dar certo e para o qual tem uma solução bem melhor, com muito mais eficácia e rentabilidade que o atual? Mas você não diz nada. Eu sei. Não precisa explicar. Eu entendo. É de uma área que não tem nada a ver com o seu cargo e você não vai ganhar nada a mais com isso. Eu entendo.

Você dá as costas para o poder

Você vê o vazio, mas pensa assim: "Não estou sendo pago para resolver o problema dos outros. Ele que resolva. Ele ganha para isso. Por sinal, ganha mais do que eu. Se eu resolver, é ele quem vai receber os méritos". É exatamente assim que as coisas acontecem e os vazios se instalam.

Nos cargos de gerência média para baixo, a coisa é bem pior. A pessoa está vendo as coisas erradas, sabe como resolver, mas dá de ombros e diz: "Na minha carteira não está escrito que eu preciso fazer isso. Não fui contratado para isso e pronto, que se dane!".

Há buracos enormes, grandes *gaps* que poderiam ser preenchidos, grandes vazios de poder a ser conquistados, mas a pessoa não se move para ocupá-los. E sabe o que acontece? Aparece um sujeito, vê a deficiência e se oferece para resolvê-la. Todos à volta pensam: "É um trouxa. Vai fazer o trabalho dele e o do vagabundo ao lado sem ganhar nada por isso". E o que acontece logo em seguida?

Ele resolve o problema melhor do que o profissional que fora contratado para isso e não fez nada. Acumula as funções e continua fazendo as duas tarefas maravilhosamente bem. Com o passar do tempo, o grupo percebe que ele está trabalhando até melhor do que o outro e acabou conquistando aquela posição, que não é mais questionada por ninguém.

Sabe o que acontece então? Aquele cara se torna o líder natural do grupo. É isso. É assim, você sabe. Já deve ter visto essa cena uma centena de vezes. Alguém que vai lá e faz o que ninguém quer fazer. Ao fazer isso, conquista um espaço que estava livre, preenche um vazio organizacional, ou um vazio de poder. Nesse momento, ele está um passo à frente do grupo. E a marca dele brilha um pouquinho mais do que a marca dos outros.

A liderança não é algo que seja imposto. Chefes são impostos; líderes, não. O poder está com os líderes, não com os chefes. As estrelas são líderes, não chefes. Os líderes são eleitos pelos outros; os chefes, não. Os líderes são estrelas que brilham, os chefes podem ser medianos.

Para ocupar espaços vazios, você precisa ter iniciativa

Além de detectar esses espaços vazios, é preciso ter iniciativa para ocupá-los de forma inteligente. As estrelas geralmente assumem os riscos e tomam a iniciativa.

Robert E. Kelley, consultor renomado e conferencista americano, especialista em gestão de carreiras, fala sobre os vazios das organizações e sobre as iniciativas em seu livro *Como brilhar no trabalho*:

As definições de cargos estão dando lugar a esferas funcionais capazes de permear outras esferas funcionais – imagine-as como bolhas de sabão –, fundindo, com suavidade, ideias, experiência e conhecimento técnico específico. Tomar a iniciativa significa ultrapassar os limites da definição protetora do cargo para preencher lacunas entre as esferas funcionais. Esse preenchimento de lacunas em geral é chamado de "gerenciamento dos espaços ultraconservadores" – áreas mal abrangidas ou não abrangidas pelas designações de cargos ou pelo organograma (às vezes, trata-se de enormes abismos).

Esses espaços ultraconservadores existem em abundância em toda a organização, mas a tendência ao downsizing levou a sua expansão. As organizações adeptas da capacidade intelectual são definidas pelos espaços ultraconservadores, já que existem tantos aspectos desconhecidos – conhecimentos e tecnologia mudam com rapidez, novos concorrentes e a impossibilidade de saber por completo o que engloba um cargo. Para serem bem-sucedidas, as empresas adeptas da capacidade intelectual exigem uma força de trabalho flexível o suficiente para transitar de uma esfera funcional para outra.

A diferença de poder entre estrelas e medianos

A liderança das estrelas começa por aí, ocupando vazios, preenchendo vácuos, procurando mais coisas além daquelas para as quais foram contratadas. As estrelas dão bem pouca atenção ao que está escrito no seu contrato de trabalho, porque não estão preocupadas com isso. Os medianos não. Estão preocupados em não gastar energia com o serviço dos outros. Fogem de tarefas extras e de trabalhos não remunerados.

Olhe à sua volta no escritório. Avalie sua empresa, seus colegas, seus chefes e observe o comportamento deles. Há os que estão sempre se oferecendo para fazer outras coisas. Muitas vezes nem se oferecem, vão lá, tomam a iniciativa, lideram o grupo, enfrentam barreiras e fazem!

E olhe para os medianos. Eles têm sempre uma desculpa na ponta da língua para se livrar de um compromisso extra. É a esposa que vai reclamar, o marido que não vai gostar, têm médico marcado nesse dia, precisam ir cedo para casa para outro compromisso, sábado não podem, estão cansados, vão viajar, estão estressados, cheios de trabalho, há pouca gente no seu departamento. Enfim, desculpas não faltam para não assumir riscos, porque eles nunca assumem riscos.

As estrelas, além de disponíveis, são pró-ativas

As estrelas são pró-ativas e estão sempre disponíveis para fazer mais alguma coisa, por elas e pelos outros. São os que puxam o grupo, dão ideias, estão sempre prontos para ficar mais uma hora, para fazer mais coisas além do previsto. São os geradores de novos projetos, de novos programas. Tudo acontece naturalmente para eles, porque estão disponíveis e prontos para preencher vazios.

Se você convidar as estrelas para um novo programa de treinamento interno que ocorrerá no sábado, elas não só são as primeiras a se inscrever como, na maioria das vezes, ainda se oferecem voluntariamente para preparar algo para o dia. Se você reparar bem, as estrelas são as que mais acumulam trabalho e estão sempre dispostas a assumir responsabilidades extras.

Os medianos ficam parados, as estrelas seguem em frente

As estrelas têm carreira sempre ascendente porque se arriscam, ousam, tentam fazer algo, não se conformam com as coisas. Os medianos, não. Ficam estacionados, travados na própria imobilidade e inércia. Parecem ancorados em sua zona de conforto, enraizados lá. Se você tenta mexer com essa posição, eles reagem. Se você pede, eles saem pela tangente, com desculpas. Se você manda, eles se escondem.

São pessoas que passam anos a fio na mesma posição ou numa pior. Caso tenham sido contratadas como gerentes, pode conferir: se nada de ruim aconteceu nesse meio-tempo, se nenhuma estrela tomou o seu lugar ainda, você as encontrará, anos depois, na mesma função, fazendo a mesma coisa para a qual foram contratadas. Depois de uma década, ainda estarão lá, estacionadas.

Sabe quando os medianos se mexem? Quando a empresa entra em crise e todo mundo começa a ficar em pânico. Quando começa o *downsizing*. Quando a empresa começa a questionar a rentabilidade e o quadro de funcionários. Aí eles entram em pânico e rapidamente passam para o campo dos gerenciadores de sobrevivência.

Os funcionários estrelas pensam que são donos da empresa

As estrelas se comportam como se fossem donas da empresa. Não estão preocupadas se foram ou não contratadas para isso, só querem fazer tudo para que sua marca pessoal brilhe mais ainda. Isso é bom para a empresa e ótimo para a carreira delas. Não ficam resmungando pelos cantos que estão fazendo um trabalho estratégico e o dono da empresa é quem ganha dinheiro e vive de férias na Europa. Sua lógica é a de quem ocupa espaços e busca novas experiências para gerar experiência e valor para sua marca pessoal.

Se precisam fazer uma apresentação num fim de semana, as estrelas avaliam isso como uma ótima oportunidade de melhorar sua performance como apresentadoras. E isso não tem preço para elas.

Caso tenham de organizar um seminário interno, assumem o risco e dedicam mais algumas horas para essa tarefa. Quando surge nova oportunidade e a empresa precisa de alguém com experiência em preparar seminários, todo mundo se lembra delas. E se tornam uma instituição. Não está escrito em lugar nenhum, mas todos sabem que esse poder já foi assumido. É um poder legitimamente assumido (lembre-se sempre) e raras vezes questionado.

As estrelas ampliam sua audiência

Se precisar dar uma palestra numa entidade ou numa universidade, as estrelas nunca reagem assim: "Que saco! Vou perder de novo a minha quarta-feira!". Elas reagem de forma positiva, com uma atitude empreendedora de quem vê nisso uma oportunidade de falar para uma audiência maior e ampliar a visibilidade da sua marca pessoal.

Os medianos, não. A resposta é: "Que saco!". Ou: "É só para mim que chegam essas encrencas!". Ou ainda: "Que droga, de novo!".

As estrelas sabem que numa entidade empresarial, numa universidade, há outras estrelas, o que permite ampliar sua rede de contatos e de relacionamentos, que podem ser úteis para impulsionar sua marca pessoal e sua carreira.

Elas sabem como é importante a experiência de falar em público e ganhar visibilidade. Uma tarefa dessas nunca será tempo perdido, pelo contrário, é sempre vista como mais uma oportunidade na sua vida. É mais um espaço vazio para ser preenchido com sua marca pessoal.

As estrelas assumem e correm riscos

Muitos anos atrás, tive a oportunidade de ler um pequeno texto motivacional do antropólogo e palestrante Marins Filho, que tratava da resistência natural das pessoas a assumir riscos. Lá havia uma expressão que me marcou e passou a fazer parte do meu vocabulário na empresa e fora dela.

Ele dizia que as pessoas precisavam **"se sujar mais"**. O sentido era que elas deveriam assumir mais riscos para conseguir conquistar o que queriam. Que deveriam "dar mais a cara para bater", como diziam os antigos.

Pensei bastante sobre isso e passei a observar que as estrelas "se sujam" mais do que os medianos, assumindo riscos e ousando mais. Se você observar na sua empresa, poderá constatar que aqueles com iniciativa, que tomam a frente em todas as situações, são os que correm mais riscos. Mas, como não têm medo de se sujar, são os que ocupam os vazios de deficiência da empresa.

As estrelas não pensam no fracasso

A maioria não se importa muito com o que vai falar, com os egos feridos que isso possa representar. Também não se atormenta muito com a possibilidade de que sua iniciativa seja mal interpretada ou, pior ainda, que seu projeto não dê os resultados esperados. Pelo contrário: muitas vezes, as estrelas ignoram as regras não escritas, enfrentam a crítica de muitos, quebram paradigmas e fazem.

Nordström e Riddestrale, no livro *Funky Business*, dizem o seguinte:

...o mecanismo mais íntimo do progresso humano chama-se fracasso. Se não fosse pelos tolos que tentam fazer o impossível – repetidas vezes –, ainda viveríamos em cavernas. Os tradicionalistas deveriam lembrar-se de que a única forma de não fracassar é não tentar. E precisamos tentar. Sem fracassos não há desenvolvimento. O filósofo Ludwig Witttgenstein afirmou: 'Se as pessoas nunca fizessem coisas bobas, nada inteligente aconteceria'. Portanto, devem-se respeitar todos os que assumem riscos. As empresas têm de se tornar terrenos que cultivam os que assumem riscos.

Repito: a diferença entre medianos invisíveis e profissionais brilhantes é que as estrelas não têm medo de correr riscos nem temem o fracasso na busca pelo poder legítimo. Simplesmente tomam a frente. Os medianos ficam acuados, presos ao receio de ser mal interpretados, de parecer puxa-sacos da empresa, de se afastar dos seus cargos, de ser malsucedidos em sua iniciativa. Ou de simplesmente perder tempo. As estrelas se sujam mais, fazem mais. Por isso se tornam estrelas.

A pergunta é: **que iniciativas você vem tomando para ocupar os vazios à sua volta?**

Capítulo 6

stratégias para alavancar a sua marca pessoal

A vontade de começar a fazer

Você tem vontade de fazer alguma coisa por sua carreira, mas até agora não começou a fazer nada. Eu sei os motivos. Falta de tempo, vida agitada, crianças, marido, mulher, excesso de trabalho. Eu sei. Todos nós temos uma sobrecarga de obrigações, e o tempo é curto para fazer tudo. Acontece com todo mundo, é normal.

Mas, cada vez que você lê uma reportagem, um artigo sobre carreira, fica em pânico e com sentimento de culpa por não estar fazendo nem 10% do que é recomendado. Parecem bonitas aquelas recomendações todas de estar informado, buscar conhecimento, ficar ligado em tudo o que está acontecendo, dominar dois ou três idiomas etc. Você se pergunta: como vou poder fazer tudo isso? É impossível!

Você precisa ser seletivo

Em primeiro lugar, deve ser seletivo em sua busca de conhecimento. É impossível entrar em todos os sites, ler todos os livros da sua área, todos os jornais diários ou revistas semanais. São centenas e centenas de títulos de periódicos, numa avalanche de possibilidades em diferentes meios.

Eu concordo que é impossível abarcarmos tudo com um razoável índice de aproveitamento. Existe um excesso de informações em todas as áreas. A sociedade atual caracteriza-se pelo excesso. Tudo é superlativo quando se trata de informação disponível.

Estima-se que o mundo disponha hoje de mais ou menos 600 bilhões de páginas na internet. Isso significa cerca de 100 páginas para cada habitante do planeta. Você tem avalanches de informações todos os dias e precisa selecionar aquilo que é importante para você. Por isso, é imprescindível que seja decisivo para gerar valor para a sua marca pessoal.

Seus objetivos são o seu filtro

Você me pergunta: como? É bastante simples. O que vai norteá-lo são seus objetivos iniciais e suas metas. São eles que o ajudarão a selecionar os investimentos necessários ao avanço de sua carreira e à geração de valor para a sua marca pessoal. Por isso insisto nos objetivos e metas. Se você não souber para onde está indo, vai abraçar tudo o que lhe passar pela frente, perder tempo lendo coisas que não têm a mínima importância para o seu crescimento e não vai conseguir chegar a lugar nenhum.

Eu sei! Isso soa como uma heresia! Jamais poderíamos dizer que ler é perda de tempo. Sempre se encontra alguma coisa boa, mesmo nas piores publicações (e você sabe quanto isso é verdade). Não me interprete de forma leviana. Leio dezenas de livros por ano e às vezes pego alguns que são um verdadeiro desastre (espero que você não pense o mesmo deste), mas há ocasiões em que uma frase, um pensamento, um parágrafo nos levam à reflexão, e aí vale o tempo investido.

Se quando você chegar à última página deste livro concluir que umas poucas palavras lhe foram úteis, já ficarei muito feliz. Uma palavra, uma nova atitude, uma reflexão, um novo ângulo para encarar velhos problemas podem significar muito quando falamos de gerenciamento da sua marca pessoal. Sempre penso isso em minhas palestras sobre esse assunto. Se pelo menos uma pessoa da plateia ficar impressionada com meus argumentos, sei que valeu a pena.

O que digo é que existe o excesso, e isso é inegável. E, quando a oferta é muita, precisamos ter um filtro para selecionar aquilo que é realmente importante para nossa carreira e aquilo que é prazer. Ler bons livros é o melhor que podemos fazer para ampliar nosso horizonte, levando-nos a refletir, relaxar, curtir e crescer como pessoas. Sou exagerado nisso, porque minha formação inicial foi em Letras, e livros para mim viraram uma obsessão (quem trabalha comigo e me conhece pessoalmente sabe muito bem disso).

Se você quer construir uma imagem consistente para a sua marca, ser diferente, com valor no mercado e impulsionar sua carreira, seus investimentos de tempo e de esforços terão de ser estrategicamente voltados para o máximo de otimização.

Concentre-se no que existe de melhor

Seus objetivos serão seu filtro na hora de selecionar o que servirá de conhecimento potencializador de sua marca pessoal. Se você quer avançar nos negócios, dentro da sua área, eu recomendo que se dedique com mais atenção aos periódicos desse setor, dando apenas uma passada rápida nos outros. No ramo de negócios, há excelentes títulos. Busque os melhores e se concentre neles.

Se você ler todos os dias o melhor jornal de negócios, com certeza terá um conhecimento muito maior na hora de conversar com outro especialista do que se tentar ler cinco outros títulos simultaneamente.

Escolha um ou dois títulos entre os melhores. Concentre-se em dois ou três especialistas. Leia alguns articulistas respeitados e estude com profundidade cada comentário diário. Será muito mais produtivo do que tentar abraçar a opinião de muitos comentaristas e não chegar a conclusão nenhuma.

Se você concluiu que o seu sonho é moda, invista nos ótimos periódicos desse segmento. Consulte amigos, converse com especialistas. Veja o que eles recomendam. Leia aquilo que realmente interessa. Procure a "bíblia do setor" e as principais publicações sobre o assunto e concentre-se nelas. Nas suas viagens, procure conciliar lazer e trabalho. Vá visitar aquele centro de moda com que sempre sonhou. Isso é um investimento na carreira e uma oportunidade de conciliar as coisas. Sem culpa!

Seja curioso nessa busca

Esse conselho vale para qualquer segmento. Procure saber profundamente o que pensam os principais especialistas da sua área. Descubra quem são as estrelas do segmento e acompanhe-as de perto. Reúna informações, leia as entrevistas, guarde esse material precioso. Mantenha a mente aberta para os sinais desse segmento. Informe-se sobre os lançamentos de livros, compre os melhores, pesquise sobre seus autores. A bibliografia impressa no final das obras é uma ótima fonte para buscar novas leituras daquele setor. Veja o que os autores do seu livro predileto leram e vá atrás. Você terá uma lista de pelo menos dez livros para adquirir e colocar entre suas prioridades. Seja curioso. Seja um inconformista eterno com sua bagagem.

Diversifique sem perder a concentração

Se você for seletivo, evitará que se acumule um excesso de material na sua mesa diariamente e assim poderá se concentrar no que realmente interessa. Não quero dizer que não deve ler mais nada. Se fizer isso, será considerado aquele chato que só sabe falar do seu setor e que nem os amigos aguentam. Diversifique um pouco, mantenha a mente aberta para novos campos, procure se informar sobre o que está acontecendo nos mais diferentes setores, mas mantenha a concentração na sua área. É nela que você precisa se destacar.

Tente eleger meios e veículos para isso. Busque informação geral nos noticiários de TV, por exemplo. Comprometa-se a assistir a um deles com atenção todos os dias. Isso o manterá informado sobre o mundo sem lhe tomar mais de meia hora por dia. Só leia mais sobre essas notícias nos jornais se elas realmente forem importantes. Assim sobrará tempo para garimpar nos jornais e nas revistas o que é de fato fundamental para a sua marca e para a sua carreira. Isso permitirá que você também leia livros. Jornais e revistas informam o que está acontecendo no mundo, mas geralmente com superficialidade. Os livros é que dão consistência e relevância ao seu conhecimento. Não desgrude deles, jamais. Eles o ajudarão a impulsionar sua marca pessoal por meio do conhecimento empírico e da especialização na sua área. E lhe darão tranquilidade para falar com qualquer especialista do seu segmento e discutir em pé de igualdade, sem gaguejar.

Deixe que seus olhos brilhem

Pense bem. É ótimo falar com um especialista. De qualquer área, não importa qual. A gente se encanta quando vê alguém apaixonado pelo que faz, que conhece realmente o assunto, empolga-se em falar, está motivado, buscando mais. Dá para notar claramente a diferença entre uma pessoa que vibra com o que faz e uma que está naquela área por completo acidente.

A diferença entre os especialistas, as estrelas do segmento e os medianos é que os olhos dos primeiros brilham quando eles falam. Isso é evidente, não dá para esconder. Você se sente seguro ao falar com eles. Inspiram confiança e merecimento. A marca deles vale mais que a dos outros. Esse é o poder da reputação e da percepção sobre o público. Agora compare essa situação com outras em que você se defrontou com os medianos numa área profissional. Quando você pergunta alguma coisa, eles gaguejam, desviam o olhar, vacilam e não sabem responder muito bem. Você questiona conceitos ou procedimentos e eles dizem que vão consultar o diretor ou pesquisar um pouco mais para lhe dar a resposta. Sua insegurança está estampada nos olhos, e seu valor diminui na mesma proporção.

Num mundo de excessos, com pouco tempo para todos, com grandes demandas em qualquer área, ninguém quer perder tempo com quem não tem segurança do que faz. Em áreas como marketing, de importância vital para as empresas, muitas vezes quem tem essa responsabilidade é o presidente e, no momento das grandes decisões, ele certamente não quer falar com quem é inseguro, mas sim com quem decide ou tem muita certeza da solução que está lhe indicando. E isso só se consegue com duas coisas: conhecimento e paixão.

Esses dois aspectos serão vitais para agregar valor à sua marca pessoal, independentemente da área em que você atua. Portanto, jamais se desvie disso.

Nunca tente enganar sua audiência

O conhecimento é sua plataforma, é a base, é o núcleo de valor da sua marca pessoal. Sem ele, você não tem nada e dará sinais da sua fragilidade. Além de não conseguir aprofundar nada, encontrará soluções sempre superficiais, fugindo do aprofundamento, desviando-se dos problemas por falta de conhecimento. Quando você sabe muito a respeito de um assunto, gosta de falar sobre ele, fala com conhecimento de causa, sem esforço, e seus olhos brilham.

> O conhecimento dá suporte técnico e segurança. A paixão pelo que faz traz brilho aos olhos.

A paixão é a parte externa e mais visível da sua marca. É o brilho nos olhos que altera a percepção de valor da sua marca no mercado. Um alimenta o outro. Se você for apaixonado pelo que faz, terá uma obsessão natural por saber mais, por buscar mais, por querer mais. Quanto mais você busca, mais aumenta sua paixão. Você se funde com sua marca pessoal. Ajusta naturalmente os sinais. Torna-se confiável e mais valioso.

Mas jamais tente enganar quando o assunto é sua base de conhecimento. Isso não seria nada inteligente. Sem conhecimento, você pode tentar enganar e manipular uns e outros, mas, mais cedo ou mais tarde, sua máscara cairá. Ou será pego sem aquele brilho nos olhos ou será desmascarado no meio de uma reunião.

Conheci muita gente assim, que lê as orelhas de um livro e sai comentando com a autoridade de quem sabe do assunto. Pode funcionar temporariamente. Talvez você impressione uma plateia despreparada, mas um dia vai deparar com alguém que leu esse livro e sabe tudo sobre ele. Então, você certamente ficará em sérios apuros.

Uma marca sem conteúdo pode ter o melhor trabalho de marketing possível, manipulando a imagem e a percepção da audiência, mas, com certeza, um dia vai se atrapalhar nos sinais e será flagrada. O estrago será muito maior se descobrirem que você é uma fraude e que seus conhecimentos são sofríveis. Jamais permita que sua marca entre nesse caminho sem volta. O prejuízo pode ser fatal para a sua carreira.

Se você paga caro por uma marca famosa de *jeans* e depois de duas lavadas eles se estragam, fica furioso e nunca mais volta a comprá-los. Sente-se enganado e começa uma campanha contra a marca, falando várias vezes para seus amigos.

No mercado profissional, as coisas também funcionam assim. Na construção de marcas pessoais, tudo ocorre da mesma forma. Quantas vezes já comentamos com conhecidos a respeito da incompetência de uma pessoa (que parecia brilhante)? Ou de um médico que nos atendeu mal e nos deixou furiosos, da insegurança de um advogado, da ignorância de um engenheiro e assim por diante?

Não é possível ganhar algumas batalhas temporárias enganando e manipulando os outros para mascarar suas fragilidades. Sempre pode existir gente muito bem preparada (com muito mais bagagem do que você) escutando sua argumentação (fazendo cara de interesse) e testando até onde você vai. Você não deve subestimar ninguém, pode ser seu pior engano na carreira.

Você está construindo a marca da sua vida, e ela precisa valer cada vez mais durante décadas e décadas. Pense como as empresas. É necessário gerar e sustentar valor indefinidamente. Pense em termos de perpetuação de valor. Pense em sustentabilidade e reputação. É isso que vai lhe trazer valor e garantir seu futuro.

Se você não está agindo com base no conhecimento, pare para refletir e comece, mas comece já. Inicie por seus objetivos. Estabeleça um foco para seguir.

Você não está apaixonado pelo que faz e seus olhos não brilham nada? Não tem atração pelo conhecimento do seu setor? Então, amigo, é hora de rever seus objetivos e seus sonhos e começar a ajustar as coisas. Urgente!

Uma estratégia para otimizar seus movimentos

Uma estratégia interessante para começar a estabelecer o seu foco em busca de conhecimento e de valorização da sua marca pessoal é fazer uma série de questionamentos antes de tomar uma posição. Isso o ajuda a avaliar com mais clareza quais passos são os mais importantes. São três perguntas:

1. O que isso pode representar para agregar valor à minha marca pessoal hoje?
2. O que isso pode representar para a minha marca pessoal daqui a alguns meses?
3. O que isso pode representar para a minha marca pessoal daqui a alguns anos?

Ao se fazer essas perguntas, você passa a ser seletivo com seu conhecimento e com seus movimentos estratégicos; começa a priorizar o que realmente é importante para a sua marca e a sua carreira. Você dá sentido às coisas, hierarquiza suas prioridades e não perde oportunidades.

Lembre-se de que as coisas que realizamos hoje podem aparentemente não ter valor nenhum (nesse exato momento), sendo vistas como apenas mais uma tarefa a cumprir, mas passado algum tempo talvez você descubra que elas foram decisivas para gerar valor para a sua carreira e impulsioná-la. Ou foram o primeiro passo de uma nova etapa. Um degrau que, assim que foi conquistado, o levou a outros, que o levaram até onde você está.

Faça uma retrospectiva de quantas coisas você deixou passar sem se envolver e que poderiam tê-lo ajudado muito em sua trajetória. Agora pense nas coisas que ignorou (quando aconteceram) e que depois você descobriu que poderiam ter valorizado sua marca. Quer exemplos? Uma palestra gratuita numa universidade ou numa entidade de classe pode parecer, num primeiro momento, mais um evento cujo preparo significa gasto de tempo e de energia. Perda de tempo, diria a maioria das pessoas. Ao fazer as perguntas propostas, você avalia as possibilidades de ganho a médio e a longo prazos.

O que isso pode representar para a sua marca pessoal hoje, a curto prazo?

Talvez represente a possibilidade de alguns bons contatos e de ampliar seu círculo de relações no segmento. Isso significará um ganho de valor a curto prazo? Não sei, depende. Mas pode ser que você seja visto por um *headhunter* desesperado para contratar um profissional do seu segmento (com a sua cara e a sua experiência) e, aí, você faz um gol! Mas não é muito certo que isso aconteça.

Você também pode ganhar um pouquinho mais de visibilidade para a sua marca se a universidade ou a associação que o convidou fizerem divulgação do evento. Isso melhora as possibilidades a curto prazo. Pode receber um convite para dar aulas numa universidade porque o diretor do curso assistiu à sua palestra e adorou sua forma de apresentar, sua consistência e seu conteúdo. Se isso for importante para sua carreira, já é um enorme ganho. Ou pode ser convidado por um dos diretores da associação para compor a próxima diretoria (assim você amplia ainda mais seus contatos e fortalece seu *networking*) ou ainda para ser um voluntário da entidade ou associação (você ganha com a possibilidade de exercitar seus conhecimentos e aumentar sua experiência).

Mas é possível que você não conte com a presença de um *headhunter* na plateia, não tenha divulgação nenhuma e fique restrito à audiência do evento. Talvez o diretor do curso ou da associação não esteja presente e você nunca seja chamado para dar aulas lá. E o que você ganha? Na pior das hipóteses, ganha mais uma experiência de falar em público e de se desinibir diante de uma plateia. Uma espécie de treinamento gratuito (com uma plateia real), se preferir pensar assim (o que não deixa de ser um ganho interessante se pensar a longo prazo).

A médio prazo, daqui a alguns meses, o que isso pode representar para a sua marca pessoal?

A experiência de ter se apresentado para um grande público pode ser de extrema valia daqui a alguns meses. Você ganhou experiência, adquiriu conhecimento e testou suas habilidades com o público numa cena real. Assistiu à gravação em vídeo e pôde corrigir defeitos de postura, treinar a impostação da voz, progredir em sua desenvoltura de palco, o que pode ser fundamental na apresentação que vai fazer numa convenção de vendas para o seu cliente.

Se você tivesse ido àquela palestra, não estaria tendo de "treinar na prática" na frente do cliente, quando não dá para errar. E aquele tremor de mãos que quase não dava para as pessoas verem onde você colocava o feixe de luz de sua *laser-point* não teria acontecido.

Ainda a médio prazo, você pode ter impactado um aluno, no final do curso, que hoje trabalha como assistente de marketing numa importante empresa. Ele fala da palestra ao seu chefe, que está justamente procurando um profissional com a sua cara e o seu conhecimento. E o chama para conversar.

A longo prazo, daqui a alguns anos, o que seu esforço na palestra pode ter lhe agregado de valor?

Isso pode fazer toda a diferença se, nesse período, você continuou a dar palestras e já conta com mais dez outras marcadas. Você ganhou visibilidade para a sua marca com a divulgação de várias delas em jornais e informativos do segmento. Ganhou grande experiência em falar em público e já domina isso como ninguém. Tornou-se o melhor da sua empresa e é chamado para todas as apresentações que a companhia faz para seus clientes importantes. Você agregou uma nova habilidade à sua marca pessoal e, agora, além do seu cargo, os colegas mencionam que você é um ótimo palestrante.

Você ampliou sua audiência em cada um desses eventos. Várias pessoas o assistiram (pense nisso como base para a sua rede de relacionamentos). Dezenas delas pediram para falar com você ao final das palestras. Você distribuiu uma centena de cartões que agora estão nas mãos de muitos outros profissionais que têm você como referência (alguns ficaram como seus contatos e o consultam, trocam artigos, convites, experiências).

Você sempre cresce. E esse é o objetivo maior

Concluindo, esse é um exercício de probabilidades a ser feito em cada oportunidade que lhe surgir, sempre pensando no futuro. Eu lhe asseguro que você nunca será o mesmo depois de cada experiência. Você mudará, sem dúvida nenhuma. Será muito melhor como profissional (pelo exercício do seu conhecimento e de suas habilidades) e crescerá como pessoa (por ter a oportunidade de conviver com a tensão de falar em público e de conhecer seus limites e limitações num momento de pressão e estresse). Mas precisa treinar para visualizar isso naturalmente e detectar as oportunidades que surgem. Deve encarar cada uma delas como mais uma oportunidade e mais um espaço vazio a ser preenchido. Você só tem a ganhar com isso.

A mesma estratégia para obter mais conhecimento

Você deve estar se perguntando sobre o início deste capítulo, em que falávamos sobre o investimento em conhecimento e o que ele representaria para sua carreira, quando você argumentava que não tinha tempo nem para você mesmo, quanto mais para buscar conhecimento extra. Lembra disso?

Quando comecei a falar, você logo ficou reticente, questionando o que estava lendo. Pois é. Essa mesma estratégia pode ser aplicada nesse aspecto da sua carreira, potencializando a sua marca. Como? Eu explico.

Se eu lhe perguntar quantos livros você leu nesta semana, você vai achar um absurdo e dizer: "Como quantos livros, numa semana?!". A maioria das pessoas também acha isso um absurdo. Elas preferem que você pergunte quantos livros elas leram no ano passado, que fica mais fácil, e assim mesmo a gente encontra alguns que ficam gaguejando nessa resposta e nem conseguem se lembrar do título do único livro que leram. Faz parte. É comum. Não se assuste.

Mas pense um pouco sobre isso. Você sabe a importância de diferenciar a sua marca por meio do conhecimento. De fazer diferença diante dos outros. Com isso eu sei que concorda. E sei que seu argumento é a falta de tempo para ler. Então acompanhe o meu raciocínio utilizando a mesma estratégia que mencionamos acima.

Aplicar a estratégia para multiplicar sua leitura

Se você reparar, boa parte dos livros tem em torno de 200 páginas, concorda? Bom, eu sei que *A guerra*, do General Karl von Klausewitz, tem quase 900 páginas num corpinho de letra terrível para um míope! Tudo bem, mas seja razoável. A maioria tem em torno de 200 páginas. Acontece que o normal (para a maior parte das pessoas) é tentar ler o livro todo de uma só vez, ou o máximo que conseguirem num dia de folga. Como nunca encontram esse dia livre para isso, ficam adiando. Quando pegam para ler, vão até a página 20 ou 30 e desistem. Ficam esperando um outro feriado para continuar e o livro fica lá parado na cabeceira da cama, criando poeira. Passam-se dias, meses, você nunca tem esse dia livre e o livro permanece lá. Então perde o entusiasmo (a vontade) e admite (para si mesmo) que não vai ler mesmo, porque não tem tempo.

Faça as contas

Todo mundo leva em média três a quatro minutos para ler uma página. Uns são mais rápidos, outros mais lentos. Depende do assunto e do hábito de cada um. Mas, se continuarmos nesse raciocínio e tivermos como meta ler apenas 20 páginas por dia, gastaremos, no máximo, 60 ou 70 minutos diários para isso. Por baixo. Ao criar o hábito, você baixa essa média tranquilamente para uns 40 minutos e melhora consideravelmente o poder de absorver a leitura. Isso significa que, se você se acostumar a ler 20 páginas por dia, terminará, em média, um livro a cada dez dias, o que representa cerca de três obras completas por mês. Faça as contas. São mais ou menos 36 livros por ano. O que já começa a ser uma marca interessante.

Em dois anos, você terá lido 72 livros. Em quatro anos, atingirá a invejável marca de 144 livros, se mantiver o hábito de ler apenas 20 páginas por dia. Parece muito para você? Pense um pouco mais sobre isso.

Essas 20 páginas podem ainda ser divididas em trechos de cinco ou dez páginas ao longo do dia, em horários variados. Se você analisar o seu dia, da manhã à noite, encontrará até bem mais de uma hora totalmente ociosa e inútil, que poderia ser investida em seu crescimento.

Você fica de 15 a 20 minutos esperando um cliente atrasado. Passa 30 minutos aguardando um médico (isso se ele for um exemplo de pontualidade!). Gasta dez minutos esperando a refeição no restaurante, mais cinco tomando um cafezinho, depois mais dez esperando um amigo no shopping. Passa 40, 50 minutos na sala de embarque do aeroporto e outros tantos voando, e por aí vai. Se você sempre levar seu livro debaixo do braço, verá quantas oportunidades vai ter de avançar mais umas páginas todos os dias. É só criar o hábito e ter disciplina.

A estratégia e o foco para buscar conhecimento

Se você tiver um foco claro para sua carreira e for seletivo com suas leituras, concentrando-se nas obras realmente importantes para você no seu segmento, ao final do ano terá uma bagagem considerável de conhecimento sobre esse assunto. Concorda? Com tempo ou sem tempo. Você não imagina quanta diferença faz esse conhecimento aplicado na busca de valor para sua marca pessoal e sua carreira! A grande maioria das pessoas não lê essa quantidade de livros sobre a sua especialidade durante toda a vida profissional!

Não é de admirar que encontremos tantos medianos e tão poucas estrelas (especialistas respeitados) em alguns segmentos. O que acontece com a grande maioria? Lia na universidade (quando lia alguma coisa), leu na especialização porque foi obrigada, leu no mestrado e depois... nada mais. Acredita que não precisa mais, e aí...

O que isso representa para a sua marca pessoal

Pense no poder que isso representa para a sua marca. Em um ano você pode ter devorado 36 a 40 livros importantes da sua área. Em boa parte dos segmentos, isso corresponde ao conjunto de obras realmente fundamentais de autores renomados que você deve conhecer para tornar--se um especialista. Utilizando aquela nossa estratégia do conjunto de perguntas, você teria mais ou menos esta sequência de respostas:

1. A curto prazo: seis meses e 18 livros.

Você adquiriu conhecimento sobre a teoria de um ou dois autores, abrangendo um campo ou uma área do seu setor. Isso lhe proporcionará margem para pelo menos iniciar a conversa com um especialista e dominar esse conhecimento numa entrevista. Se começar pelos melhores do seu segmento, já é um passo muito importante. E isso abrange apenas meio ano da sua vida.

2. A médio prazo: um ano e 36 livros.

Você já leu uns seis ou sete livros importantes e está apto para um debate com boa parte dos especialistas do seu segmento. Já pode ser considerado um conhecedor e um bom argumentador nessa área. O processo ocupa um ano da sua vida.

3. A longo prazo: dois anos e 72 livros.

Você acrescentou à sua bagagem de informações uns 70 títulos ou mais de diversos especialistas da sua área, com um vasto conhecimento sobre o tema. Pode ser considerado um estudioso do assunto e conseguirá debater tranquilamente com qualquer especialista com razoáveis chances de impressionar a plateia. O processo abrange dois anos da sua vida.

Agora reflita. Em muitos campos do conhecimento ou em nichos específicos num segmento, não existem 70 obras consideradas referência no assunto. Você acredita nisso? Não? Então pense em temas específicos do seu segmento, áreas em que poderia se especializar de forma empírica e agregar valor à sua marca pessoal, como nos exemplos a seguir:

No âmbito da comunicação:
  construção de marcas;
  comportamento do consumidor;
  design gráfico;
  personal branding (espero que você considere este);
  cenários;
  comunicação na web.

No âmbito do varejo:
merchandising;
aplicação dos cinco sentidos em arquitetura comercial;
experiências no ponto de venda;
novos canais do varejo;
pesquisa aplicada ao varejo.

No âmbito das vendas:
promoção de vendas;
canais de venda;
fidelidade e lealdade em vendas;
gerenciamento da base de clientes;
marketing um a um.

No âmbito do direito:
direitos de imagem;
direitos do consumidor;
proteção à criança;
relações e direitos entre condôminos.

Esses são alguns poucos exemplos em apenas quatro áreas. Mas experimente. Escolha o escopo de conhecimento que deseja e constate o que eu digo. Você não encontrará mais do que 70 livros de referência (obras ótimas mesmo) sobre um tema específico do seu segmento. Quer saber que tema escolher? Só você pode determinar. Para isso precisa saber para onde quer ir. Você quer ser reconhecido como? Ainda não sabe? Bom...

Se você compreender essa lógica e dominar isso, terá uma vantagem enorme perante seus concorrentes de mercado. Em algumas áreas, uma pessoa que domine esse conhecimento vira referência. Passa a ser requisitada para entrevistas, para atuar no mercado. E gasta apenas um ou dois anos da sua vida. Ninguém pode dizer que não tem tempo para crescer.

A sua diferença pode estar aí

Se recordar aquele capítulo em que discutimos a falta de diferenciação entre profissionais, você verá que essa bagagem poderá ser A SUA diferença entre todos os outros à sua volta. Em algumas áreas muito competitivas, com uma série de profissionais bem preparados, sua bagagem empírica pode estabelecer uma diferença relevante e significativa. Uma pequena diferença que pode alterar todo o quadro de competição entre você e seus pares no mercado.

Nesse campo, sem diferenças, essa bagagem pode fazer "toda a diferença" na hora de conversar com um *headhunter*, de prospectar um novo cliente, de fechar um grande negócio, de brilhar numa entrevista. Essa bagagem pode ser a sua marca de especialista no segmento, permitindo que o reconheçam como o profissional que mais entende do assunto na empresa. Cada vez que surgir uma dúvida sobre ele, uma palestra, um seminário, um importante negócio, certamente vão se lembrar de você. Você passa a ser referência. Agrega uma diferença fundamental à sua marca, uma diferença de valor muito importante que altera a sua reputação.

Essa condição lhe dará a oportunidade de dar entrevistas quando o assunto vier em pauta, escrever artigos sobre ele e dar mais visibilidade à sua marca. E você começará a manter distância dos medianos invisíveis. Nessa guerra por diferenças de valor, uma estratégia simples como essa, que ocupará uma hora do seu dia, pode fazer TODA a diferença.

Seja qual for o seu segmento – artes, música, cinema, literatura, marketing, engenharia, política, publicidade, direito, arquitetura, moda, vendas –, você notará a diferença que isso vai fazer para a sua marca pessoal e sua carreira profissional. Você precisa de FOCO na sua carreira. E, convenhamos, um pouquinho só de força de vontade.

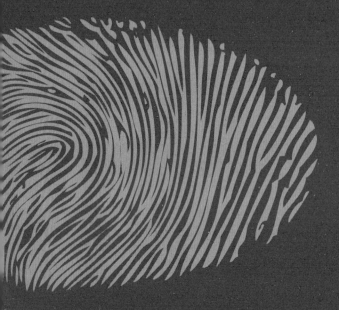

Capítulo 7

arthur Bender

stabeleça um foco para a sua marca pessoal

O poder do foco para agregar valor à sua marca pessoal

A grande meta é diferenciar sua marca em meio à avalanche de profissionais do seu segmento, tentando gravá-la de forma relevante na mente do seu público. Encontrar um adjetivo, um atributo, uma imagem, um conceito importante que deixe sua marca visível, diferente e com valor para a plateia. Isso é ter um foco. Essa deve ser a grande meta, o grande objetivo de um trabalho de construção de marca pessoal.

Desde o primeiro capítulo, quando falávamos em estabelecer um objetivo a ser perseguido, destacamos a importância de ter um foco para a sua marca. Uma frente estreita para ser atacada. O seu valor como marca é diretamente proporcional à diferença de valor que

> "Se você é um astro de Hollywood, um luminar de Wall Street ou um executivo corporativo, já é muito difícil deixar marcado um lugar na mente do público com um único personagem. Por que se deixar vergar com o peso de várias personalidades?"
>
> Al Ries, *Foco*

você conseguiu estabelecer entre os profissionais do seu segmento. Foco. É essa a palavra poderosa e transformadora que se deve usar quando se pensa em marcas. Você precisa encontrar um foco para a sua marca e, a partir dele, direcionar seus esforços de construção. Ao estreitar o foco, você se transforma em especialista do segmento, concentra-se, dá maior relevância a uma diferença significativa e sua marca ganha mais valor nesse segmento.

Al Ries, no livro *Foco*, afirma:

Em uma guerra militar, é suicídio atacar numa frente ampla. A única estratégia que tem chance de sucesso é atacar numa frente estreita. 'Profunda penetração numa frente estreita' é o mantra de uma mente militar. Em uma guerra comercial, os mesmos princípios são válidos. A força está na concentração. O ponto vulnerável, na diversificação.

Você não pode ser tudo para todos

Por quê? Porque, definitivamente, você não vai conseguir ser tudo para todos. Isso é impossível. É impossível ser um advogado competente, sendo um médico neurocirurgião e um arquiteto nos fins de semana! Quem acreditaria nisso?

As pessoas se perguntariam: "Como pode ser um advogado e ao mesmo tempo médico e arquiteto? Ele deve viver dividido entre essas três profissões e não ter muito tempo para se dedicar a nenhuma delas!".

Esse é um exemplo extremo de diversificação de uma marca profissional. Mesmo assim, vale lembrar que tive o prazer de conhecer um caso bem parecido – e verdadeiro – há muitos anos. Um profissional que se dividia entre duas profissões: era médico ginecologista e advogado e, pasmem, ainda estudava Letras comigo na universidade. Além disso, exercitava as duas profissões simultaneamente! Era um caso raro que deveria ser estudado. A única coisa boa era que a gente podia chamá-lo de doutor nas duas situações! Os médicos e os advogados adoram isso desde que começam a faculdade (brincadeira!).

Tudo bem, continua sendo um exemplo extremo. Não se encontram muitos assim por aí. Era só para facilitar o entendimento do conceito. Mas tomemos um exemplo mais fácil e bastante corriqueiro: um médico com mais de uma especialidade ou um clínico geral.

Você teria coragem de fazer uma cirurgia cardiovascular com um clínico geral? Bom, você, não sei. Mas eu, nem amarrado faria isso. Buscaria um especialista em cirurgia cardiovascular. Assim me sentiria mais seguro, porque sei que a pessoa que se especializou nessa área deve entender (teoricamente) um pouco mais de coração do que um clínico geral. Concorda?

A maioria das pessoas pensa dessa forma. Nossa tendência natural é procurar especialistas em alguma área, pois achamos que, se eles se dedicam somente àquilo, devem ser muito bons no que fazem, embora não se possa generalizar. Tomemos exemplos práticos e bastante comuns do dia a dia. Um pedreiro, por exemplo, raramente é um ótimo eletricista, embora muitos façam razoavelmente as duas coisas.

Um bom encanador hidráulico é eficiente porque só faz isso durante o dia e acaba entendendo muito mais de hidráulica do que outro profissional que faz hidráulica, eletricidade, marcenaria e ainda quebra um galho como pedreiro nos fins de semana.

Um foco mais estreito no próprio segmento

Se continuarmos nesse raciocínio, encontraremos, em segmentos mais qualificados, profissionais que se especializaram num determinado setor do próprio segmento. Por exemplo, há muitos advogados que atendem em diversas áreas do direito, mas existem advogados tributaristas, advogados especializados em direito de família, em crime, em direito intelectual, e por aí vai. Esse é um bom exemplo.

Quando temos uma causa específica, procuramos um advogado especializado naquela área. Nossa chance de ser bem-sucedidos na causa será (de novo, teoricamente) proporcional à capacidade de especialização do profissional. Mas a probabilidade de ter sucesso é maior quando contratamos um profissional que "entende tudo" da área. Então nos sentimos mais seguros. E pagamos mais caro por isso.

O valor do especialista

As coisas funcionam assim: se você ampliar suas habilidades, esticando sua imagem de marca, enfraquecerá o valor de cada uma delas. Se estreitar o foco, concentrando-se numa habilidade só, aumentará seu valor como especialista. É simples.

Se você se concentra em uma habilidade só, abre mão de outras coisas, mas aumenta o valor da sua diferença. Começa a dar sinais de que tem um papel muito forte, que sabe representar muito bem, que domina. O seu papel passa a ser você, sua própria marca profissional. Isso acontece também com as marcas de produtos. Algumas são famosas porque conseguiram estabelecer uma diferença de valor que as tornou singulares em nossa mente. Outras representam diferentes produtos ao mesmo tempo e não são fortes em nada.

O cemitério empresarial está cheio de marcas sem foco

Quer exemplos? Existem centenas por aí. E o cemitério empresarial está cheio de marcas que tentaram ser tudo para todos e acabaram não sendo nada para ninguém. Estenderam o valor de sua marca fazendo lançamentos sucessivos. Resultado: perderam os clientes fiéis e não conquistaram outros. Quiseram ser tudo e acabaram se diluindo em nada. Enfraqueceram seu poder, dispersaram sua imagem com diferentes lançamentos em diversas áreas, e aí o consumidor passou a não acreditar mais nelas.

No Brasil, a Parmalat tinha um poderoso apelo de alimento saudável, passando a imagem de leite para a maioria dos consumidores durante mais de uma década. Cresceu, virou um *case* poderoso no Brasil, com os "bichinhos da Parmalat", e aí acreditou que poderia ser tudo para todos.

Comprou empresas de diferentes segmentos, fez lançamentos e lançamentos nas mais diversas áreas de alimentos. Lançou biscoitos, achocolatados, bolachas, cereais matinais, massas, chegando aos derivados de tomate. Isso mesmo, massa de tomate Parmalat. O que aconteceu? O consumidor começou a se confundir e a se perguntar: o que tomate tem a ver com leite? Essa marca não era aquela muito boa em leite? Não havia similaridade entre esses produtos, apesar de todos serem alimentos.

A Parmalat descobriu (tardiamente) que ficou muito fraca em vários desses novos produtos, começou a perder dinheiro e voltou para o seu foco original: leite. Tudo isso antes do desastre financeiro mundial que acrescentou outros problemas bem mais graves à marca. Mas essa é outra questão.

Profissionais também perdem o foco

Com os profissionais ocorre a mesma coisa. Há inúmeros casos de trabalhadores que fazem sucessivas tentativas em diversos segmentos. Fazem o que chamam de "experiências" em novos mercados, mas o que acontece então? Descobrem que tentaram ser tudo para todos, mas não conseguiram se distinguir no mercado. Não conseguiram construir um atributo diferenciador para a sua marca. São um pouco de tudo e consequentemente um pouco de nada. Num momento abrem uma franquia, no outro atuam como executivos de uma grande empresa, depois trabalham como consultores independentes, mais tarde iniciam um novo negócio em outra área e assim por diante. E aí é tarde demais para essa marca. As pessoas comentam desse profissional: "Ele não consegue se achar em lugar algum!". São os seus sinais de marca pessoal.

O especialista tem uma imagem com foco

O especialista tem poder de concentração. Isso torna sua marca mais forte. Você pode mudar de área, de segmento, mas mantenha seu foco para preservar a imagem de sua marca pessoal. Se sua marca está associada ao atributo "estratégia", você tem chances em diferentes áreas, desde que focalize essa palavra poderosa: estratégia. Essa é sua diferença de marca, não importa o segmento em que atuar.

Se sua marca está impregnada com o atributo "empreendedor", você pode tranquilamente fazer investidas nas mais diversas áreas, sempre com o mesmo espírito empreendedor. Sua imagem estará impressa nesse espírito, e, quanto mais bem-sucedidas forem suas investidas em novos empreendimentos, mais solidez terá sua marca nesse campo.

Se você é reconhecido como um ótimo advogado tributarista, não tente ser outra coisa. Pelo contrário, busque o encaixe perfeito e estreite ainda mais o foco na sua especialidade. Abra mão de novas causas e concentre-se naquela em que você já tem um forte resíduo para a sua marca. Quanto mais diversificar, mais enfraquecida ficará sua percepção e menos valor você terá como advogado tributarista.

Se você é considerado um ótimo redator publicitário, aja da mesma forma. Pode expandir sua atuação para as mais diferentes áreas: escrever para jornais e revistas, virar crítico literário, tornar-se escritor literário, criar roteiros de cinema etc., desde que não tente se tornar dono de boate ou administrador de restaurante no shopping.

É normalmente aí que os profissionais se perdem: espalhando sinais contraditórios de sua marca na ânsia de expandi-la para outros territórios, fazer novas experiências, tentar um novo "emprego" que pague mais, aproveitar uma oportunidade numa empresa diferente.

O poder está na concentração

Se você se concentra e estreita o foco a curto prazo, perde. Perde novos negócios, é obrigado a rejeitar novos cargos, abrir mão de bons convites para trabalhar em outras empresas, deixa de atender clientes de outros segmentos. Mas a médio e a longo prazos você lucra com a especialização. Sua marca se torna forte e respeitada naquilo em que você é muito bom. Você espalha confiança, ganha reputação e seu valor no mercado cresce como marca pessoal.

É lógico que para fazer isso você precisa ter muita certeza do que quer, de que está fazendo a coisa certa e seguindo o caminho adequado. Se tem dúvidas, se ainda vacila com sua paixão profissional, volte aos primeiros capítulos deste livro e releia o que dissemos sobre objetivos. É lá que está a chave para encontrar o seu foco.

Se você não tem objetivos, não tem foco; e, infelizmente, neste momento, ainda não tem nada. Depois que estabelecer um foco, agarre-se a ele com todas as forças. Concentre seus sinais nesse sentido, reforçando sempre uma única posição. Lembre-se disto: o poder está na concentração; a fraqueza, na diversificação. Al Ries diz o seguinte: "Se você quiser ter sucesso um dia, terá de estreitar seu foco, a fim de representar alguma coisa na mente do *prospect*".

Estreite mais ainda o foco

Na sua profissão, você pode estreitar mais ainda o foco e elevar sua posição diante dos concorrentes do mesmo segmento. Seja qual for seu cargo, de executivo ou profissional liberal, encontrará brechas para estreitar seu foco e aumentar seu valor de especialista, diferenciando mais sua marca pessoal no mercado.

Entre os contabilistas, existem dezenas de subdivisões mais estreitas de especializações na área. Entre os médicos, mesmo nas especialidades conhecidas, há subespecializações dentro das especializações.

Na engenharia civil, existem dezenas de áreas para ser cobertas dentro desse campo. No ramo imobiliário, há corretores especialistas em imóveis caros, em propriedades industriais, em grandes fazendas e em chácaras e sítios baratos. E também corretores baratos, que fazem qualquer tipo de negócio.

Na área do design, encontram-se diversas segmentações nas mais diversas especialidades (design gráfico, industrial, de embalagens, de ponto de venda etc.). Na arquitetura, na publicidade, nas artes, em qualquer campo, você pode estreitar o foco e aumentar o valor do seu passe concentrando seus esforços e a imagem de sua marca num desses nichos de especialidade ou subespecialidade.

Na maioria das vezes, esses nichos estão a descoberto e oferecem ótimas oportunidades de diferenciação e desenvolvimento. Concentre-se num deles, amplie as possibilidades de se distinguir, aumente sua especialização e consequentemente aumentará seu valor de marca. Al Ries diz o seguinte:

O foco é a arte de selecionar cuidadosamente sua categoria e depois trabalhar diligentemente a fim de se ver categorizado. Não é uma armadilha a ser evitada; é uma meta a ser atingida. Não deixe que as críticas insensatas o afastem dessa meta.

Mas o que acontece com a maioria dos profissionais? Preferem acreditar que seu mercado está saturado e que não têm mais chances de crescimento. Ficam todos competindo com as mesmas qualidades básicas, com as mesmas características, com as mesmas propostas e não oferecem nada de diferente ao mercado. E, quando não existem diferenças entre marcas, as pessoas viram *commodities*, e você sabe como são compradas as *commodities*, não é? Isso mesmo. Pelo preço mais barato. O que está saturado, na verdade, é o mercado de profissionais sem foco. E nisso eu concordo.

O melhor advogado do Brasil

Pense bem. Você acredita que pode ser o melhor advogado do Brasil? Talvez consiga, mas terá de enfrentar uma guerra em diferentes frentes. Precisará concorrer com o melhor criminalista, com o melhor tributarista, com o melhor em cada área do direito e suas especializações – quantas houver –, e suas chances serão mínimas, porque vai dispersar seus esforços e sua imagem em muitas frentes de batalha.

Se você estabelecer como meta ser o melhor advogado de família, seu mercado encolherá para o terreno do direito de família, mas suas chances aumentarão, pois estará competindo somente com os advogados dessa especialidade. Embora não seja fácil, será bem mais razoável do que se tentar ser o melhor em todos os segmentos. Ademais, um advogado que fosse o melhor em todos os segmentos não seria confiável. A audiência duvidaria dessa capacidade excepcional.

Agora, se você se especializar em direito de família, mas concentrar-se em ser o melhor advogado do Brasil a defender os direitos da mulher, seu mercado encolherá mais ainda, mas suas possibilidades de ganhar visibilidade e notoriedade nessa área crescerão muito e você certamente terá sucesso.

Para criar seu próprio nicho de mercado e se especializar, você precisa ter um foco e, repito, saber do que gosta e para onde está indo. Chamamos esse profissional de hiperespecialista. Você deve estreitar ao máximo seu foco dentro do segmento, criando, na verdade, um subsegmento. Ao inventar o subsegmento, você cria um monopólio temporário do qual é o único hiperespecialista na área, concentra-se ao extremo e agrega uma diferença única para a sua marca. Você se torna singular.

As celebridades têm um foco

Mesmo em mercados altamente competitivos como o de celebridades, com guerras espetaculares por visibilidade, cada uma tem um grande foco. Os grandes astros que adoramos criaram para a sua marca um poderoso foco em alguns de seus melhores atributos: beleza, sensualidade, força, energia, encanto. Todos associaram sua imagem de marca a um ou dois desses atributos pessoais e criaram uma força poderosa que trabalha a seu favor. Produziram um DNA para sua marca pessoal e, em qualquer filme que atuem, sabemos que estarão lá com seu estilo inconfundível.

Veja o que Al Ries diz sobre isso:

Humphrey Bogart sempre representou o papel de Humphrey Bogart. Katharine Hepburn representava Katharine Hepburn. O mesmo vale para Cary Grant, Fred Astaire e virtualmente todos os outros superstars do passado. O foco levou-os ao topo. O foco os manteve lá. A próxima geração de superastros e superestrelas está seguindo os passos de Wayne, Monroe, Bogart, Hepburn, Astaire e Grant. Estão se tornando grandes astros e estrelas representando seus próprios papéis. Sylvester Stallone e Arnold Schwarzenegger são o máximo em termos de rapazes fortes. Bruce Willis é o máximo em termos de rapaz esperto. Julia Roberts é o máximo em termos de linda mulher.

Eles construíram uma imagem sobre alguns atributos, fecharam o foco e tornaram-se sucesso num determinado "estilo". Esse estilo acabou sendo a própria marca da celebridade e o fator do seu sucesso. Repito: ninguém consegue ser tudo para todos. As chances de sucesso quando você abandona o foco, com raras exceções, passam a ser mínimas.

As celebridades também perdem o foco

Mesmo os astros com sucesso e fama consideráveis, construídos sobre um foco maravilhoso, caem na armadilha da diversificação. É comum ver artistas célebres tentarem interpretar novos papéis para abrir os horizontes e ampliar o leque. Alguns fazem experiências em outras áreas, interpretam tipos completamente diferentes e arcam com estrondosos fracassos na mídia.

Al Ries diz o seguinte em seu livro *Foco*:

O que acontece quando um astro machão representa um papel que vai contra o seu 'tipo'? Você viu Schwarzenegger grávido no filme Júnior? *Ou um Stallone covarde na comédia* Pare, senão mamãe atira!? *Poucas pessoas viram. Um apresentador de um programa de entrevistas no rádio disse: 'Se ele não estiver com um AK-47 nas mãos, não quero ver os filmes do Sylvester Stallone'.*

Muitas celebridades caem na armadilha da diversificação e arranham sua imagem, perdendo o foco principal. Quantos atores de TV buscaram construir uma carreira de cantor e fracassaram? Quantos cantores tentaram ser entrevistadores de TV e conseguiram? Dá para contar nos dedos das mãos os que tiveram sucesso diversificando. Se você reparar, a maioria desses poucos que conseguiram não diversificou esvaziando o foco, mas migrou de uma posição para outra. E isso já é outra questão. Jô Soares é um exemplo. Construiu uma plataforma sobre sua imensa capacidade em torno do humor. Migrou para outra posição (na hora certa), como apresentador de programa, mas conservou o traço fundamental que sempre o distinguiu: o humor inteligente em suas entrevistas.

Mas a regra é: se você se dispersar, perde o foco. Pense em quantas outras celebridades tentaram ser várias coisas e acabaram arranhando sua marca. Lembra do Fábio Júnior com seu programa de TV? Do Chico Anísio como comentarista de futebol? Do Romário como empresário da noite carioca?

Cantores de sucesso também têm um foco

Quantos cantores você conhece que se tornaram célebres cantando com um estilo próprio, único, e depois tentaram assumir outros? Quantos deles tiveram sucesso nessa trajetória?

Se você frequenta bares com música ao vivo, deve conhecer muitos intérpretes maravilhosos que transitam por qualquer estilo. Vão da música sertaneja até boleros, rock, blues com grande versatilidade. E a gente adora essa diversificação, não é? Mas quantos fazem sucesso com todos os estilos fora dos bares e das casas noturnas? Quantos conseguem ser intérpretes maravilhosos de diferentes estilos o tempo todo? Quantos fazem sucesso e se mantêm assim?

Pense em Caetano Veloso. Existe uma marca chamada Caetano Veloso que amadurece, se recicla, busca novos horizontes, reinventa-se constantemente, adapta-se ao novo e continua agradando a mais de uma geração (o que é raro numa sociedade sedenta por novos ícones). Mas continua sendo fiel ao estilo Caetano Veloso. Essa é a marca Caetano.

Pense em Raul Seixas e no que ele significou para a música nacional. Reflita sobre sua influência e seu estilo único, diferente. O estilo Raul Seixas, venerado ainda hoje por milhares de fãs. É a marca Raul Seixas, que ganhou notoriedade e transcendeu sua própria história.

Pense em Renato Russo e na legião de fãs que o idolatram muitos anos após sua morte. Pense no estilo Renato Russo, especial, singular, que só ele possuía. Agora pense em Cazuza e no estilo Cazuza.

Foco é isso. Foco é coerência na concentração. A concentração tem o poder de diferenciar e impulsionar o valor de marca. Isso vale para o mundo corporativo, para o mundo das celebridades e também para você. Por falar nisso, qual é o seu foco? Você tem algum?

Foco para celebridades no mundo dos negócios

Al Ries descreve mais alguns exemplos do poder de representar uma palavra na mente do público no ramo de negócios, em que a visibilidade é muito menor do que no mundo dos astros de Hollywood ou no campo da música. Ele fala de profissionais que conseguiram destacar sua marca no mundo dos negócios e criaram um conceito único, com valor, para sua carreira. Eles associaram à sua marca uma "palavra", um componente genético de valor, e se tornaram celebridades nos negócios. Veja os exemplos:

Nos negócios, Tom Peters detém 'excelência'; Michael Hammer detém 'reengenharia'; Michael Porter detém 'competitividade'; Phil Crosby detém 'qualidade'; Joel Stern detém 'valor econômico agregado'; Joel Barker detém 'mudança de paradigma'. Entre os executivos corporativos, Al Dunlap, ex-CEO da Scott Paper, é um 'especialista em viradas'. Nas histórias da mídia e nos relatórios dos analistas, 'fazer um Dunlap' é uma forma abreviada de dizer que a empresa está sofrendo uma modificação na velocidade da luz. Se você é um astro de Hollywood, um luminar de Wall Street ou um executivo corporativo, já é muito difícil deixar marcado um lugar na mente do público com um único personagem. Por que se deixar vergar com o peso de várias personalidades?

E Al Ries não disse, mas tenho obrigação de dizer: quando se fala nesse autor, obrigatoriamente se está falando em "posicionamento". Essa é sua marca corporativa. Esse conceito foi construído por ele e tornou-se um marco na literatura de marketing. Al Ries detém a palavra "posicionamento", e esse é seu valor como especialista. É quase impossível alguém escrever sobre esse tema e não citá-lo pelo menos umas dez vezes. Sua imagem está atada a esse poderoso conceito e sua marca é sinônimo de posicionamento. Ele percorre os cinco continentes dando palestras e já lançou muitos livros sobre o assunto. É reverenciado por dez entre dez especialistas em marketing, e seus conceitos e leis são temas obrigatórios nas escolas de negócios do mundo inteiro.

Quando uma das 500 maiores empresas da lista da *Fortune* tem um problema de posicionamento, de foco, quem você acha que ela chama para uma consultoria? Ele mesmo, Al Ries.

Se você pensar em qualidade no Brasil, certamente lhe virá à mente o nome Gerdau. Jorge Gerdau construiu um negócio global em torno do aço e da siderúrgica que leva seu nome, mas, no meio empresarial, Jorge Gerdau é sinônimo de qualidade. Foi ele que fez o Rio Grande do Sul dar os primeiros passos em direção à busca de qualidade. Implantou, criou programas e disseminou ideias que se transformaram num conceito poderoso e se tornaram referência no meio empresarial nacional. Se alguém pensa em qualidade, lembra de Jorge Gerdau. É assim.

A pergunta é: **qual é o seu foco? Que palavra define sua marca pessoal? Você não sabe ainda?**

Ser especialista ou generalista. A eterna dúvida

Você deve estar se perguntando sobre aquelas pilhas de revistas que ensinam a fazer currículos e as centenas de recomendações de artigos que falam da importância de dominar várias áreas e possuir um amplo conhecimento genérico. É um debate quente entre especialistas de RH e gerenciadores de carreiras.

É a grande moda do momento. Poucos defendem a ideia de ser especialista. A maioria diz que você tem de ser generalista, que o mercado precisa de generalistas. Eles sustentam que a pessoa deve ter amplas habilidades e dominar vários campos para ter sucesso no mercado de trabalho. Eu concordo e ao mesmo tempo discordo das duas teses. Como estrategista de marcas, acredito numa coisa poderosa: você precisa ser diferente.

Você precisa ser diferente

Não tiro a razão deles, mas o que defendo com unhas e dentes é que você tem de ser **DIFERENTE**. Seu trabalho precisa ser diferente, seu foco deve ser estreito e diferenciado, sua marca precisa ter um valor singular e relevante para o seu segmento. O mercado procura a diferença. As pessoas valorizam a diferença e pagam mais por isso. Não importa se ela está na ultraespecialização ou na justaposição de diversas habilidades. Você precisa encontrar essa diferença e construir sua posição. Num mundo hipercompetitivo, só há duas alternativas: ou você é hiperespecialista e constrói seu próprio segmento dentro do segmento, ou é um profissional hifenizado e constrói sua marca sobre duas ou três especialidades que o tornam diferente de qualquer outro. Mas continua a ser um profissional **DIFERENTE**.

Você quer uma marca ou um emprego?

Não quero que você consiga um emprego. Este livro pretende ensiná-lo a ser capaz de construir uma marca pessoal e gerenciá-la agregando cada vez mais valor à sua carreira. E, isso, definitivamente, é muito diferente de arranjar um emprego.

Se você só quer um emprego, ótimo. Siga os manuais de RH, faça aquele currículo bonitinho e torça para conseguir uma entrevista. Mas, se quer construir uma marca pessoal com valor no mercado, aposte em ser diferente. Se você dominar várias habilidades, tiver amplo conhecimento sobre inúmeros setores, dominar diversas línguas e processos, conhecer um pouco de tudo, ótimo. Mas aposte numa diferença. Você precisa ser MUITO BOM em algum aspecto ou conjunto diferente de habilidades que o faça se especial, único. É aí que vai residir o seu valor: quando você representar um atributo que não se encontra em outros profissionais do seu segmento.

Dominar vários setores, conhecer uma variedade de segmentos, áreas, pode contribuir, e muito, para o seu sucesso. Mas isso só vai lhe permitir entrar no estádio. Para jogar o jogo, você terá de ser um ótimo goleiro, um ótimo zagueiro ou um maravilhoso centroavante. Para jogar na seleção, você precisará entrar na mente do técnico e ser, para ele, o MELHOR goleiro, um goleiro diferente, com seu próprio estilo; o MELHOR zagueiro, mas um zagueiro diferente de todos os outros que o técnico conheceu; e o MELHOR centroavante, diferente de todos os outros que já ocuparam essa posição.

No mercado corporativo, se você só tiver as habilidades que os outros profissionais têm, não estará apto nem para jogar o jogo; estará apenas nas cadeiras, vendo os outros jogarem.

Diferenciação é a palavra

É ela que vai permitir que você construa uma posição inatingível. E, quando essa posição for alcançada pelas outras pessoas do seu segmento, sua marca pessoal já estará gravada na mente do público. Você terá dominado esse nicho que criou com sua marca pessoal. Você será o segmento, o nicho dentro do segmento, seja ele qual for. Tem dúvidas?

O valor da diferença em cirurgia plástica

Pense em cirurgia plástica no Brasil. Que nome lhe vem à cabeça, como sinônimo de cirurgia plástica? Isso mesmo. Só um nome. Só uma marca. Você acertou: Ivo Pitanguy.

E pense agora. Quantos bons cirurgiões plásticos existem no Brasil? Devem existir milhares por todo o país. Quantos ótimos cirurgiões plásticos existem no Brasil? Uma centena, talvez. Quantos deles conseguiram chegar lá, no topo? Uns poucos. E quantos obtiveram a notoriedade para sua marca e viraram sinônimo de cirurgia plástica no Brasil e no mundo? Apenas um. Esse é o poder de se diferenciar e transformar sua imagem na imagem do segmento.

O valor da diferença na arquitetura

Pense em arquitetura no Brasil. Há dezenas de nomes famosos, alguns internacionais. Mas que marca de arquiteto virou sinônimo de arquitetura brasileira? Isso mesmo. Você acertou de novo. Oscar Niemeyer. Estilo Niemeyer.

E, quer goste ou não da obra de Niemeyer, você tem de concordar que ele criou seu próprio estilo, pôs sua marca em tudo o que fez, diferenciando seus produtos de tudo o que já haviam visto ou feito. Ele criou seu nicho dentro do segmento. E virou sinônimo do segmento.

O valor da diferença em design

Pense em design nacional. Quantos designers brasileiros alcançaram sucesso e reconhecimento internacional e conseguiram cobrar mais de 5 mil dólares por uma única cadeira? Quantos são chamados de representantes do legítimo design brasileiro em Nova York? Dois! Dois porque são uma dupla. Os irmãos Campana são o sinônimo de design nacional no mundo inteiro. Eles conseguiram sair do óbvio, criaram obras inimagináveis e obtiveram sucesso e notoriedade para sua marca. Quem poderia conceber uma cadeira chamada "favela" antes dos irmãos Campana?

Quantos bons designers existem no Brasil? Não sei, mas deve haver centenas. Eu conheço vários muito bons. Ótimos? Talvez existam dezenas. Mas apenas uma marca está lá, dominando a categoria e representando o design nacional no mundo. Esse é o valor agregado da marca pessoal. Esse é o valor da diferença que ela representa em relação aos outros profissionais do setor.

Quantos bons jogadores de futebol o Brasil tem? Somos os maiores exportadores de talentosos jogadores para o mundo inteiro. Mas quantos viraram sinônimo da marca Brasil? Vários ficaram famosos, muitos são conhecidos no mundo todo. Temos dezenas de marcas de jogadores de futebol reconhecidos em várias partes do mundo. Mas quantos são ovacionados em qualquer parte do planeta como unanimidade? Quantos conquistaram a possibilidade de ser sinônimos do Brasil? Quantos são chamados de Rei? De novo, apenas um. Ele mesmo: o rei Pelé.

A capacidade de ver o que os outros não veem

Alguns desses ícones apostaram em criar um produto diferente; outros, um conceito próprio, subvertendo o que era considerado normal pelo mercado, distinto de tudo o que se conhecia até então. Outros apostaram numa técnica diferenciada de fazer a mesma coisa que todos já conheciam. Outros ainda conseguiram transformar seu estilo pessoal na diferença para projetar sua imagem.

O que eles têm em comum? Fizeram de forma diferente e tornaram-se diferentes. Acrescentaram uma diferença de valor ao seu segmento. Criaram seu próprio nicho no segmento e uma marca única através do seu estilo. E marcaram definitivamente o mercado como os melhores no segmento que eles próprios inventaram. Uma técnica diferente, um conceito diferente, um produto diferente, uma maneira de fazer diferente. Subverteram os conceitos, ousaram, não se contentaram com o mercado que tinham e criaram o seu próprio.

O Brasil não era a "terra do futebol" antes do rei Pelé. A marca Pelé criou um novo mercado para milhares de candidatos a celebridade depois da era Pelé. O design nacional era inexpressivo internacionalmente antes dos irmãos Campana. Muitos brasileiros nem sabiam que existia um conceito chamado "design brasileiro", reconhecido internacionalmente, e que isso abriria um novo mercado no próprio país com capacidade para absorver produtos assinados por outros designers daqui.

As estrelas não se conformam

Os medianos continuam apostando na ideia de adaptar-se aos conceitos que já existem. Contentam-se em entrar no mercado e tentar sobreviver de acordo com as regras já estabelecidas. As estrelas, não. Elas se questionam o tempo todo e não se conformam com as normas existentes. Os medianos adaptam-se a elas; as estrelas as subvertem e criam seu próprio nicho de mercado.

E você?

Capítulo 8

arthur Bendee

onhecimento pessoal e percepção de marca

A importância do conhecimento de suas forças e fraquezas

Não importa muito em que ponto da carreira você está; se ainda não ingressou, está ingressando ou já está nela há muitos anos, precisa conhecer mais do que ninguém suas forças e fraquezas. Precisa conhecer profundamente sua própria marca para ter domínio sobre ela.

Se você não tiver um razoável conhecimento de suas forças e fraquezas, corre o perigo de estar com um plano perfeito, no que diz respeito à estrutura, mas frágil quanto ao conteúdo. Poderá estar pondo em prática a maioria dos passos discutidos aqui e se-

"Se você conhece o inimigo e a si mesmo, não precisa temer o resultado de cem batalhas. Se você se conhece, mas não conhece o inimigo, para cada vitória ganha sofrerá também uma derrota. Se você não conhece nem o inimigo nem a si mesmo, perderá todas as batalhas..."

Sun Tzu
(general chinês),
ano 500 a.C.

guindo à risca boa parte das instruções, mas, por não se conhecer, talvez esteja insistindo nos sinais errados, e aí não haverá planejamento estratégico que dê resultados positivos.

Parece fácil

Isso parece bastante simples. Você dirá que é a parte mais fácil do processo, mas garanto que não é. Acredito que seja a parte mais difícil e a mais frágil em termos de instrumentos eficazes para avaliação. A gente sempre acha que se conhece e sabe o que as pessoas pensam da gente, mas eu lhe asseguro que é aí que cometemos os maiores erros.

As pesquisas de especialistas mostram que temos uma razoável tendência a superestimar nossas potencialidades e capacidades, e isso geralmente nos leva a uma visão embaçada da realidade. Somos condescendentes com nossas fraquezas, mas não com as dos outros. Nossa voz pode ser estridente e irritante, mas, como nos acostumamos com ela, passamos a acreditar que ela representa nossa energia.

O autoengano

Se falamos para dentro, com aquela voz rouca, com o passar dos anos acreditamos que essa deficiência tem um quê de sensualidade, mas às vezes, para os outros, pode ser sinal de cansaço e falta de agilidade. Achamos que nossas piadas são bem recebidas, que nossas brincadeiras são a "alegria do escritório" e que nosso senso de humor afiado é a coisa mais agradável que temos para compartilhar com os outros, é nossa marca registrada de bom humor e alegria. Mas muitas vezes, para as pessoas com quem convivemos, isso representa nossa maior fragilidade. Alguns podem interpretar que nunca levamos as coisas a sério e que sempre fazemos piada de tudo.

Somos complacentes com nosso modo de vestir e, como nunca nos disseram o contrário, achamos até que temos certo bom gosto que nos diferencia dos demais. É comum não ouvirmos críticas dos mais próximos porque não se sentem no direito de nos criticar ou porque já se acostumaram com nosso "jeitão duvidoso" de escolher a cor de camisas e gravatas.

Nossa tão comentada franqueza no trato com todos, que na nossa frente é tida como autenticidade e transparência, por trás pode ser considerada como grosseria e má educação. Para nós, numa avaliação apressada, seria um ponto positivo, uma força, e estaria lá, na coluna dos nossos ativos, como um dos diferenciais competitivos da nossa marca pessoal; para os outros, para o nosso mercado potencial, muitas vezes esse atributo é julgado como uma fragilidade.

As pessoas não são tão verdadeiras

É terrível, mas bastante comum, recebermos elogios pela nossa roupa, enquanto, na verdade, o que as pessoas estão comentando por trás de nós é bem o contrário. Entre as mulheres, então, nem se fala! Esse território é minado!

Quando a percepção negativa envolve só a aparência externa, é fácil descobrir como estamos indo nesse campo. Basta consultar um manual de estilo. Com ele, temos condições, sozinhos, de nos autoavaliar e chegar a algumas conclusões. As livrarias têm bons livros sobre o assunto. Se é essa a sua dúvida, vá atrás das respostas.

O mais grave e mais difícil de fazer sozinho é avaliar nossa audiência e saber como somos percebidos como marca. Que sinais emitimos e como eles estão sendo interpretados pelas pessoas à nossa volta. Mas temos de nos preparar. Percepção, nesse momento, será realidade. E de nada vai adiantar pedir sinceridade aos colegas se não estivermos com vontade de ouvir o que eles "realmente" pensam de nós.

Dissonância entre identidade e imagem

É incrível como podemos encontrar aspectos da nossa personalidade com interpretações totalmente contrárias àquelas que acreditávamos ter. Ficaríamos surpresos se tivéssemos a oportunidade de ler um relato completo sobre o que as pessoas pensam verdadeiramente de nós.

Quando avaliamos marcas de produtos ou marcas corporativas, chamamos isso de dissonância cognitiva. Essa dissonância é o espaço entre a nossa identidade, ou a imagem que idealizamos, e a imagem percebida pela audiência.

Trabalhar para melhorar a imagem da marca, e consequentemente aumentar seu valor perante a audiência, é tentar diminuir essa distância. É corrigir os sinais que estamos emitindo a fim de diminuir a distância entre as duas imagens. Nas marcas de produtos, essa responsabilidade é da comunicação; nas marcas pessoais, também, com outros instrumentos e ferramentas. O objetivo é o mesmo: corrigir a distância entre o idealizado e o percebido.

Um exemplo de dissonância cognitiva

Anos atrás, ao dar uma aula-palestra a estudantes de comunicação numa universidade, eu falava exatamente sobre isso e comentava como podem ser grandes as distorções entre o que achamos que somos e a maneira como a audiência nos percebe.

Na semana seguinte, uma das alunas me procurou no final da aula. Com os olhos marejados, disse-me como aquela parte da palestra a impressionara e como ficara preocupada com o assunto. Tanto que, no dia seguinte, resolvera encaminhar uma avaliação por conta própria aos colegas de trabalho. Com lágrimas nos olhos, contou-me que aquele fora o pior dia de sua vida e que, ao chegar em casa, ficou conversando com a mãe até de madrugada, em meio à desilusão com o que tinha descoberto. Ela disse que, embora estivesse preparada para ouvir críticas, não esperava julgamentos tão contundentes de gente que ela achava que gostava muito dela no ambiente de trabalho. Nesse dia, as pessoas a descreveram exatamente como a percebiam, e aquilo que ela imaginava ser uma de suas maiores virtudes – sua supersimpatia – era o que mais irritava os colegas. Para encerrar, disse que eu provocara uma reviravolta na vida dela e que, embora fosse culpado por tudo o que ela sofrera, foi uma das coisas mais importantes que lhe aconteceram. A partir daquela noite, ela tomou uma série de decisões que vinha protelando havia muito tempo. Por fim, agradeceu-me e nos tornamos grandes amigos. Tempos depois, fui seu orientador no trabalho de conclusão de curso, que considerei um dos melhores que já orientei.

É preciso estar disposto a ouvir

É comum reagirmos às críticas do dia a dia com uma resposta na ponta da língua. Na maioria das vezes, é uma desculpa, uma justificativa, uma resposta ríspida, uma agressão. Com isso, limitamos a possibilidade de ouvir a verdade ou de conhecer outras interpretações dos fatos. E o que acontece é que, nessas horas que deveriam ser preciosas para o nosso aprendizado, invariavelmente, não aprendemos nada e fortalecemos uma visão muita própria, egoísta, que pode vir a se tornar uma grande distorção da realidade.

Realidade distorcida, mapa falso, viagem errada

O resultado do autoengano é uma visão distorcida do que consideramos forças e fraquezas, e, se partirmos daí, teremos um mapa completamente falso, com medidas nada precisas e roteiros enganosos para um projeto de construção de marca. Conhecer melhor sua marca é vital para dar os primeiros passos e estabelecer seu plano de voo.

E sempre vale a pena relembrar o que disse o famoso general chinês Sun Tzu, 500 anos antes de Cristo:

Se você conhece o inimigo e conhece a si mesmo, não precisa temer o resultado de cem batalhas. Se você se conhece, mas não conhece o inimigo, para cada vitória ganha sofrerá também uma derrota. Se você não conhece nem o inimigo nem a si mesmo, perderá todas as batalhas...

Muitas vezes, nossas maiores forças "de marca" estão naquilo que não percebemos e que talvez nem colocássemos na coluna de ativos da contabilidade de nossa marca. Ao contrário, passamos a subestimar potencialidades e a não nos dar conta de nosso potencial em algumas áreas. Às vezes, por estarmos com a autoestima baixa, outras por acharmos que esses aspectos da nossa personalidade não têm nenhum valor para a audiência, por pura ignorância.

De qualquer forma, subestimando ou superestimando a visão de nós mesmos, estaremos construindo uma realidade falsa para a nossa marca, aumentando a probabilidade de traçarmos uma estratégia errada num plano completamente distorcido. A palavra aqui é autoconhecimento, não como uma ação momentânea, mas como uma grande meta de vida, que deve nos acompanhar para sempre. Em todos os sentidos, profissional, espiritual, psicológico. Quanto mais você souber sobre si mesmo, maiores serão as chances de tirar proveito das experiências da vida, e todas elas o farão crescer. Cada experiência é uma nova forma de aprendizado, de saber mais sobre nossas reações, de entender nossos mecanismos, nossas defesas, nossas escaramuças, nossas atitudes perante o sucesso ou o fracasso.

Aprendendo com a dor

Quem já não chorou como criança ao ser despedido de uma empresa, sentindo-se o mais fracassado de todos os profissionais? Quem já não teve a sensação de estar caindo num imenso buraco ou de o chão estar se abrindo sob seus pés, de uma hora para outra?

A experiência de ficar desempregado e não poder arcar com o sustento da família é uma das maiores fontes de estresse. É uma dor profunda mesmo. Sentimos que deixamos de ser necessários, não somos competentes, não somos nada! Quem já passou por isso sabe do que estou falando. Só a palavra "desemprego" é capaz de causar uma sensação horrível em muita gente.

Nesses momentos, somos assolados por todos os medos e engolidos por um terrível manto cheio de fantasmas. Medo da privação, de ver as contas se acumulando e não ter mais nada. Medo de perder os bens conquistados com tanto sacrifício e não poder mais manter o padrão que tínhamos. Medo de não conseguir mais nenhum emprego. Medo de ser rejeitados na próxima entrevista. Medo da idade avançada e da não recolocação. Daí vêm a vergonha, a baixa autoestima.

Muitos profissionais já me confidenciaram que essa foi uma das piores fases de suas vidas. No domingo à noite, mergulhavam numa profunda depressão só de pensar em não ter para onde ir na segunda-feira de manhã. Algumas pesquisas indicam que o estresse do desemprego só é superado pelo da perda de um ente querido.

Esse é o momento

Por incrível que pareça, é nesses momentos dramáticos que muitos profissionais param para pensar e fazer uma profunda reflexão sobre sua trajetória. É a oportunidade que têm para desembaçar a lente da vida, refletir, repensar estrategicamente a carreira e conseguir enxergar melhor para onde estão indo. Isso pode ajudá-los a realmente se conhecer, fazer correções de rota, reavaliações e acertar definitivamente os sinais da sua marca pessoal. Quantas pessoas, ao deparar com uma grande derrota na carreira, não reconheceram em si uma nova faceta até então desconhecida? Uma força que brotou espontaneamente? Uma atitude positiva totalmente inesperada e uma energia que ninguém sabe de onde veio? Quantas pessoas, diante do desemprego, não refizeram ponto por ponto toda a sua trajetória e conseguiram levantar-se com muito mais força? Quantas pessoas, nesse momento de aprendizado pela dor, não deram a volta por cima e corrigiram suas falhas, continuando fortalecidas na direção certa?

Desperdiçar a oportunidade

Mas quantos profissionais já não passaram por momentos dramáticos de profunda dor e, depois de refeitos do susto, esqueceram tudo e voltaram a repetir os mesmos erros? Quantos não aprenderam nada com a experiência dolorosa do desemprego, do rebaixamento, da privação, e na primeira oportunidade voltaram a trilhar o caminho da arrogância e da cegueira?

Pois é. Tenho chamado essas fases de "grandes momentos da verdade" de nossa carreira. Os fracassos e as quedas, muitas vezes, são as grandes oportunidades que o destino nos dá para repensar nossas atitudes e a visão da nossa marca e da vida profissional. Apesar da dor, são os momentos de melhor nitidez para avaliar nossa marca pessoal e os sinais que estamos deixando pelo caminho. Conheço profissionais de todos os calibres e quilates em minha trajetória profissional, e distingo claramente aqueles que utilizam seus "momentos da verdade" para crescer e aqueles que nunca vão aprender, não importa o que aconteça.

Aprender com o problema

Se o seu momento é esse, não perca tempo para começar a fazer essa profunda avaliação de toda a sua trajetória. Comece hoje mesmo. Agora. O destino pode estar lhe colocando nas mãos uma das maiores oportunidades de sua marca e de sua carreira. Eu sei que é difícil, mas é necessário. Sem essa reflexão, você poderá continuar cometendo os mesmos erros. Sem essa parada estratégica, talvez continue no caminho errado, dando sinais errados, e se não os corrigir a situação permanecerá a mesma.

Parar uns dias e mergulhar nessa avaliação pessoal não é perda de tempo, pelo contrário, pode ser o tempo mais bem empregado para se recolocar no mercado e ajustar os sinais de sua marca pessoal.

A cegueira da estabilidade

É uma pena, mas, na maioria das vezes, a estabilidade nos deixa cegos para uma avaliação correta dos sinais que estamos emitindo para o mercado e acabamos tendo de aprender pela dor. O ideal seria que estivéssemos sempre preocupados com isso, numa eterna avaliação da nossa imagem de marca. Num planejamento estratégico de marca de produtos, isso é feito rotineiramente, como forma de estar atento às movimentações do mercado e da concorrência e às ameaças que possam surgir daí. Nas marcas pessoais isso deveria funcionar da mesma forma. Avaliar, avaliar, avaliar. Avaliar e reavaliar sempre. O que o mercado queria dos profissionais cinco anos atrás é completamente diferente do que quer hoje.

Pior do que a estabilidade é o sucesso momentâneo

A estabilidade e o sucesso momentâneo funcionam como uma lente fora de foco para a autoavaliação. Pior do que a zona de conforto proporcionada pela estabilidade é o sucesso momentâneo. Muitos profissionais ficam tão impressionados com seu sucesso na empresa que se esquecem completamente da sua marca pessoal. Esquecem que, por trás do cargo que está escrito no cartão de visita, existe uma marca pessoal, e esta sim é a coisa mais importante a ser trabalhada. No cartão, a marca pessoal adquire um sobrenome – com o *status* do nome da empresa, só isso, nada mais.

O que não podemos esquecer é que os cargos mudam, as empresas mudam – são vendidas, juntam-se a outras, alteram planos, quebram, não precisam mais de você, falham. Sua marca pessoal deve resistir, crescer e prosperar, independentemente das empresas. O que vale aqui é o nome – seu nome, sua marca, sua reputação –, e não o sobrenome da empresa.

Muitas vezes, o glamour do cargo, o destaque da posição de comando, as entrevistas na imprensa, o assédio de outros profissionais, os convites para festas e coquetéis embaralham nossa visão a tal ponto que não conseguimos perceber que tudo isso é para o nosso cargo, e não para nós. Por incrível que pareça, o mercado está repleto de profissionais que ingenuamente pensam o contrário. E aí, quando perdem o cargo, termina o sonho, termina a carreira. É como se eles tivessem tirado a máscara que lhes permitia fazer tudo o que queriam. Ficam completamente desestruturados, perdem a marca pessoal. Depois de uma posição cheia de assédio e bajulação, descobrem que viveram uma ilusão, as portas se fecharam e os amigos desapareceram, de repente.

O triste aí é perceber que os amigos não desapareceram de repente. Seu cargo é que desapareceu. Se esse é o seu caso, infelizmente, não eram amigos que você tinha. Eram relações de trabalho com o seu cargo, e não com sua marca pessoal, e só você não se dava conta disso. É chocante? Também acho. E, embora essa situação seja triste e injusta, mais uma vez devo lembrá-lo de que o mercado não é feito somente de justiça. Há um ditado popular que diz mais ou menos o seguinte: "O cachorro não abana o rabo para você, mas para o que você tem nas mãos". Ou seja, jamais permita que seu cargo o deixe cego para o que existe de qualidade e de verdade nas suas relações. Jamais permita que o poder e o brilho do seu cargo o impeçam de ver o que acontece com sua marca pessoal.

Quem semeia ventos colhe tempestades

Conheço empresários e grandes executivos que se orgulham de ser temidos por sua equipe. Eles cultivam a imagem de arrogantes no trato com funcionários e fornecedores. E sentem prazer com isso, sentem-se poderosos. Orgulham-se de destruir as pessoas pelo poder que têm momentaneamente nas mãos. Isso mesmo, momentaneamente. Nenhuma empresa é indestrutível. Nenhum cargo é vitalício (a não ser que você seja dono de cartório!). Tudo é passageiro, e você sabe. Quando semeia ventos, colhe tempestades. Você pode se orgulhar hoje do jeito como trata os "menores" e mais fracos, mas não se esqueça de que um dia tudo pode mudar e você talvez precise desesperadamente da ajuda dessas pessoas no futuro.

Ao longo dos anos, não foram poucos os casos que presenciei de grandes executivos e empresários que, enquanto estavam no poder, construíram uma imagem de marca de arrogância e megalomania destrutiva. E perderam tudo. Perderam empresa, cargo, poder. Só não perderam o ódio que semearam entre fornecedores, parceiros e funcionários pelos maus-tratos que disseminaram no mercado.

Invista nas relações de trabalho tratando todos com ética, respeito e consideração, mas jamais se iluda com a ideia de que será tratado sempre da mesma forma. Você vai colher aquilo que vem plantando. Se tem plantado ética, respeito, parceria, justiça, consideração, certamente o universo lhe devolverá isso. Mas não espere que o mercado seja justo. Mesmo assim, seja você, pela sua consciência. Isso basta.

Tipos de investigação e avaliação de marcas

Para avaliar marcas de produtos no mercado, são utilizadas ferramentas de pesquisa com gente especializada para isso. Marcas de consumo de massa têm mercados gigantescos e necessitam de uma mescla de pesquisas quantitativas e qualitativas. As quantitativas, como o nome já diz, avaliam "quantidades" maiores de consumidores. Nesse grupo estão as famosas pesquisas políticas que você acompanha nos períodos de eleição. São questionários estruturados e cartões de múltipla escolha, aplicados numa amostra significativa da população.

Nesse tipo de pesquisa, descobre-se qual porcentual daquela amos-

Personal Branding

tra quer este ou aquele candidato, qual é o grau de rejeição e de atração. São feitas simulações estatísticas para chegar a um retrato "momentâneo daquela realidade", do candidato preferido ou daquele que tem maiores chances de ser eleito. Nessa abordagem estão também as investigações de marcas mais lembradas pelos consumidores. São pesquisas *top of mind*, em que se avalia o grau de conhecimento de uma marca. Ou seja, aquelas de que o público mais se recorda quando o entrevistador cita uma determinada categoria de produto.

Nas pesquisas qualitativas, o número de pessoas avaliadas cai significativamente, mas aumenta-se o tempo de contato e investigação com os grupos, que normalmente são compostos de 10 ou 12 pessoas, em discussões de uma ou duas horas, comandadas por um profissional especializado. Nesse processo, o moderador lança perguntas ao grupo para descobrir o que está por trás dos "sim ou não" dos questionários. Muitas técnicas podem ser aplicadas, desde uma simples discussão até dinâmicas em que as pessoas constroem roteiros, recortam e colam imagens, fazem projeções, simulações, testam produtos, criam personagens.

Nesse tipo de pesquisa, tenta-se compreender o significado de algumas respostas das pesquisas quantitativas. No exemplo sobre política que citamos acima, nos grupos qualitativos, o moderador pode descobrir por que um candidato é mais rejeitado que outro. Ou seja, ele se concentra em discernir o significado da rejeição ou da atração detectadas nas pesquisas quantitativas.

Esse processo também é usado nas enquetes feitas para avaliar que personagens das novelas agradam mais ao público e quais estão prejudicando a audiência pela rejeição. Assim, os que já caíram no gosto popular ganham mais espaço na trama e outros têm seu espaço reduzido. Muitas empresas realizam rotineiramente investigações de mercado para avaliar sua marca e as marcas da concorrência. Com isso conseguem fazer alterações em posicionamentos, dar embasamento técnico a campanhas de comunicação, detectar oportunidades de mercado, lançar produtos com maior segurança, medir desempenhos, avaliar promoções e esforços de marketing com mais clareza.

Avaliação da marca de celebridades

Funciona de forma semelhante, por terem as mesmas necessidades das marcas de mercado. As celebridades precisam ter um grau de conhecimento, de lembrança, de relevância e de reconhecimento da equidade da marca (atributos que a qualificam) que determine seu valor na mente dos consumidores de mercado. Elas podem ser avaliadas como marcas de produtos. É possível descobrir o grau de atração e o de rejeição de uma celebridade, o nível de conhecimento e desconhecimento, familiaridade e idealização, e a partir daí determinar com maior clareza seu "valor de mercado". Chamamos isso de "valor-prêmio". É a partir dele que a celebridade vai negociar a venda de sua imagem num comercial de televisão, no fechamento de um novo contrato, na avaliação de sua capacidade para aumentar a audiência de um programa de televisão ou de uma novela.

A avaliação do significado da marca das celebridades

Também se pode mergulhar num outro processo de investigação para descobrir o "significado desse valor-prêmio". Nesse caso, o objetivo é desvendar os atributos relacionados com a imagem da celebridade e com a imagem de seus competidores no mercado. Esse instrumento é poderoso e resulta em vários mapas em que cada celebridade naquele segmento é posicionada pela percepção da audiência.

Por meio de uma ferramenta exclusiva da Key Jump – Inteligência, Estratégia e Branding (nossa empresa de avaliação e estratégia de marcas) denominada Diagnóstico de Percepção de Marca®, detectamos os atributos positivos e negativos associados àquela marca e à marca de seus competidores. Nesse diagnóstico, avaliamos os pontos negativos na imagem de marca e os fatores positivos para atrair o público. Determinamos também qual personalidade domina quais atributos na mente da audiência.

De posse dessa análise, podemos iniciar os procedimentos para a correção da imagem pública. A partir desse mapa, trabalhamos com estratégia de marca e com o planejamento dos movimentos táticos que vão impulsionar a carreira e o valor-prêmio da marca.

Pense na marca Xuxa e imagine que atributos estão associados a ela. Que atributos geram a percepção de valor e quais a afastam de outros públicos? Pense na marca Angélica e imagine que atributos formam sua imagem de marca. O que é igual e o que é diferente na marca dessas duas celebridades cuja carreira é direcionada ao público infantil e juvenil? Que grau de esgotamento cada uma apresenta para o seu público, neste momento? Que movimentos poderiam ser implementados para alterar a percepção desse público? Que estratégia poderia ser aplicada a fim de fazer uma migração para outro setor, com segurança?

Sem essa avaliação profunda de significado de marca, tudo o que se pode fazer é mera especulação. Se você pensar no valor-prêmio de cada uma delas, vai constatar a gravidade de trabalhar dessa forma e o tamanho do estrago que um movimento errado é capaz de causar na carreira.

O valor-prêmio das celebridades e o sucesso na carreira

Esse valor-prêmio pode ser entendido como a força de sua marca para gerar e impulsionar negócios ou produtos e serviços associados com sua imagem. Ou seja, o tamanho da sua audiência (pessoas que o reconhecem no mercado e que poderão ser impactadas com a sua marca) e a força dessa marca (grau de atração exercido e atributos relacionados) na influência dessas pessoas.

Um jogador de futebol que é convocado para jogar na seleção em época de Copa do Mundo tem seu valor-prêmio aumentado significativamente de uma hora para outra. Sua visibilidade dispara e o valor de mercado também. Uma atriz que está tendo um desempenho brilhante numa novela ganha a possibilidade de aumentar as vendas dos produtos a ela associados nesse período.

Um cantor que estoura as vendas de um CD também gera instantaneamente um valor maior para sua imagem de marca e para o cachê de seus shows e apresentações. Enfim, cantores, apresentadores, atrizes e atores, gente pública, têm um valor-prêmio que precisa ser avaliado e gerenciado para que continuem a valorizar sua reputação. A avaliação de celebridades está concentrada na medida dessa capacidade e no significado da marca. Esse significado ajudará a estabelecer que tipo de exposição de marca é positivo; que tipo de produtos podem ser licenciados; que marcas de produtos e serviços têm um DNA que se ajusta ao DNA da celebridade, provocando sinergia com a audiência.

A marca de uma celebridade e você

A diferença entre uma celebridade e você, basicamente, está no tamanho da audiência, ou seja, no tamanho do seu mercado. Enquanto as celebridades terão audiências gigantescas e reconhecimento de sua marca pelos mais diferentes "consumidores", sua marca pessoal terá uma audiência limitada ao seu universo de relações pessoais e profissionais. Ou seja, seu mercado terá o tamanho do alcance da visibilidade de sua marca na sua rede de relações. Essa rede é sua audiência.

Seus familiares têm uma imagem de marca de você.
Seus amigos pessoais têm uma imagem de marca de você.
Os amigos dos seus amigos têm uma imagem de marca de você.
Seus patrões ou empregados têm uma imagem de marca de você.
Seus fornecedores têm uma imagem de marca de você.
Seus clientes têm uma imagem de marca de você.
Seus concorrentes têm uma imagem de marca de você.
Seus parceiros numa entidade de classe ou associação também.
E assim por diante.

Seu mercado será do tamanho das suas relações. A diferença significativa entre a marca você e a marca de uma celebridade está no fator visibilidade. Enquanto a celebridade pública é conhecida por "todo mundo", ou seja, tem alta visibilidade, você tem uma visibilidade restrita à sua rede de relações e ao alcance da sua marca.

O que varia é o grau de intensidade dos contatos da sua marca com a audiência. O grau e a intensidade dessa visibilidade (pessoa como marca) numa audiência restrita (seu mercado, sua rede de relações) podem ser tão grandes ou maiores que os de uma celebridade que estamos acostumados a ver somente na televisão.

A capacidade de trabalhar os sinais pode ser muito maior, já que a maioria do nosso mercado (nossa audiência) interage quase todos os dias conosco. O que é extremamente vantajoso também pode ser extremamente danoso para nossa imagem de marca. Uma coisa é ver nosso ator predileto na televisão e fantasiar sua "real" personalidade com base apenas nas exposições que ele tem (entrevistas em jornais, revistas e na tevê). Outra coisa é o convívio diário. Certamente, teríamos uma visão completamente diferente desse ator se pudéssemos conviver com ele diariamente.

E como poderíamos ser avaliados como marca?

Do ponto de vista de marca, fazer isso sozinho, embora pareça fácil, não é simples nem totalmente seguro. Existem empresas especializadas no assunto, com técnicas sofisticadas de pesquisa que avaliam sua rede de relações e mapeiam sua percepção de marca a fim de traçar uma estratégia para a sua carreira.

No Brasil, poucas empresas fazem isso com as ferramentas adequadas e a seriedade necessária. A maioria se limita a entrevistar o candidato e fazer encaminhamentos com base nas respostas. Isso exclui a visão de fora (da audiência), que é seguramente a mais importante. A chave de tudo é descobrir como você é percebido, pois seu valor sempre será determinado pelos outros (pela percepção das pessoas à sua volta – sua audiência).

Se você não quer ou não pode contratar uma empresa dessas, encontre uma maneira de realizar isso sozinho. Embora sua avaliação talvez não seja tão precisa e técnica, sempre será melhor do que não fazer nada e ficar imaginando como seria. A maioria dos livros sobre gerenciamento de carreira trata isso do ponto de vista interno, ou seja, da sua própria avaliação de forças e fraquezas. É extremamente importante que você tente descrever seus pontos fortes e fracos, mas isso é só uma parte do processo. Mesmo assim, acredito que, com um pouco de esforço e boa vontade, podemos ter uma visão bastante próxima da realidade se seguirmos alguns pontos básicos e tivermos coragem de enfrentar a verdade.

Sua autoavaliação, na prática

Como ponto de partida, devemos traçar duas visões distintas da nossa marca: uma interna e outra externa.

Na visão interna, teremos nossa identidade de marca.

Na visão externa, nossa imagem de marca.

Há muita confusão entre esses dois conceitos, e é importante saber a diferença entre eles. A primeira, a identidade, é o conceito que traçamos para uma marca, um DNA de marca planejado. Ou seja, aquilo que queremos passar para o mercado (valores e atributos).

A segunda, a imagem de marca, é pura percepção. É a maneira como nossa marca é percebida pela audiência (nosso mercado). Na avaliação da marca pessoal, é importante saber como os outros percebem nossa imagem de marca, pois é ela que determinará nosso valor no mercado e afetará consideravelmente nossa reputação. Devemos saber que associações são feitas, que significado de marca está impregnado na mente das pessoas à nossa volta. É esse o objetivo da avaliação externa.

O que se faz num planejamento estratégico é, por meio do marketing e da comunicação, aproximar essas duas visões, diminuindo a dissonância cognitiva entre elas. É levar os consumidores a perceberem a marca com o valor que queremos que ela tenha. Na avaliação da marca pessoal, precisamos chegar o mais próximo possível dessas duas visões para dar início a todo o processo.

Identidade de marca. Nosso DNA de marca pessoal

Essa identidade pode ser construída num processo simples que consiste em fazer perguntas e encontrar respostas. Um planejamento estratégico deve nascer daí.

Pergunta 1: O que lhe dá muito prazer?

A primeira pergunta é uma reflexão profunda sobre aquilo que lhe dá muito prazer. Para descobrir, pense em qual foi a última coisa em que seu trabalho estava tão bom que você não viu as horas passarem: aquilo o absorveu de tal forma que todo o resto não importava mais. A ideia era só terminar aquele projeto. Que coisa era essa?

Essa é uma boa reflexão: pensar no que gostamos muito de fazer dentre as atividades que desenvolvemos durante o dia. Na loucura da rotina de trabalho, realizamos diversas coisas e acabamos não percebendo o que fazemos com muito prazer e o que fazemos de forma mecânica porque é apenas uma obrigação.

Pare e pense. Pense bastante até descobrir: qual é a atividade que, se você fizesse todos os dias, seria um grande prazer? Aquilo que transformaria sua rotina de trabalho. Aquilo que você faria mesmo sem receber nada em troca. O que você realmente gosta de fazer. Aquilo que parece uma grande brincadeira.

A investigação pessoal interna parte daí

Descubra aquilo que você gosta de fazer dentre as suas habilidades. A partir daí podem surgir novas descobertas extremamente interessantes. Em geral, a gente nunca pensa nisso. Permita-se mergulhar em si por um bom tempo. Resgate da memória algumas passagens da sua vida. Não só na sua função atual, mas em toda a sua trajetória profissional.

Descobriu? Anote numa folha de papel. Esse será o ponto de partida de tudo. Por quê? Porque não nascemos para sofrer, e sim para ser felizes; e o trabalho e a profissão devem ser um grande exercício de prazer e satisfação com a vida.

Talvez isso tenha lhe soado como aquelas ladainhas dos livros de autoajuda. Eu também achei, mas desculpe. Não era essa minha intenção. Mas não ligue para isso. Eu também detestaria que este livro fosse classificado assim, embora pense realmente que nossa profissão não pode ser um drama de vida eterno. Concorda?

Não consigo acreditar que alguém possa sobreviver nessa selva levantando todos os dias e saindo para fazer alguma coisa que detesta. Sempre haverá uma chance de mudar, desde que saiba o que realmente lhe dá prazer e satisfação na vida. Você sabe?

Embora possa não estar acreditando nisso – porque neste momento sua vida está desabando, você odeia seu chefe, sua empresa é um péssimo exemplo de RH e tudo o mais, tenha paciência: sempre é tempo de mudar. Não existe idade para recomeçar e ser feliz, desde que você saiba o que quer. Se ainda não reparou, este livro traz essa pergunta, de diferentes formas, desde o capítulo 1. Se você tiver certeza disso, todo o resto será facilitado.

Pergunta 2: Como você gosta de trabalhar?

Existem pessoas que gostam de trabalhar em diversos projetos simultaneamente e fazem isso muito bem. Outras preferem terminar uma coisa e só depois fazer outra. Se você der três projetos a essa pessoa, ela se atrapalhará e não conseguirá realizar nenhum. Como você gosta de trabalhar? Há profissionais que têm necessidade de trabalhar em equipe, outros não. Uns precisam de secretárias, assistentes e uma infraestrutura de empresa completa. Outros adoram o desafio de trabalhar inteiramente sozinhos, em casa, por projetos, sendo remunerados por desafios.

Se uma pessoa que gosta de trabalhar em equipe, com toda a estrutura de uma grande empresa, é convidada para um cargo em que será remunerada por metas e objetivos, trabalhando sozinha, na forma de projetos, não se adaptará. Por outro lado, há os que adoram não ter horário nem local fixos. Querem depender apenas do próprio talento e adoram correr riscos. Esses, geralmente, aceitam tranquilamente ser remunerados por resultados.

E você? Como gosta de trabalhar? Sozinho ou em equipe? Por metas e desafios? Em casa ou num escritório estruturado? Isso está claro para você? Se ainda não está, pense no seu histórico e nos momentos em que realmente se sentiu em condições de realizar um grande trabalho, foi lá e fez. Como fez e com quem? Anote isso também naquela folha de papel. Será um importante filtro para suas decisões futuras, na hora de fazer escolhas profissionais.

Pergunta 3: De que forma?

Pense agora como reage às situações do seu cotidiano de trabalho. Você gosta de pressão porque isso o deixa com o raciocínio mais rápido? Aquela pressão "boa" de um prazo apertado que está terminando e que é vital vencer para conseguir os melhores resultados? Isso lhe dá forças para enfrentar o desafio? Ou você fica completamente perturbado e não consegue terminar o trabalho com a qualidade que queria?

Quando você tem um prazo longo para concluir uma tarefa, considera-a mais fácil e dá o melhor de si porque sabe que a está cumprindo num prazo razoável e justo? Você gosta de trabalhar com prazos justos? Há pessoas que funcionam melhor quando têm um prazo apertado e grande pressão por resultados. Isso as incentiva e elas realizam muito bem as coisas dessa forma. Se receberem um prazo longo, simplesmente relaxam, protelam e acabam perdendo o prazo. São movidas por pressão e obtêm os melhores resultados assim.

Esse é o seu caso? Não? Você detesta pressão? Não se culpe por isso. Muita gente odeia trabalhar em vários projetos simultaneamente e sob pressão. Precisam de mais tempo para terminar mais de uma tarefa. Então pare novamente e analise sua trajetória até aqui. Quando obteve os melhores resultados? De que maneira conseguiu realizar aquele projeto do qual tanto se orgulha?

Pergunta 4: Por quê?

A quarta pergunta é: por que você trabalha nessa área? Somente por dinheiro? Para suprir suas necessidades e as dos seus dependentes? Será só por isso?

No início da carreira, costumamos pensar que o valor mais importante que buscamos é o dinheiro. Mas os anos passam e esses valores mudam. Há muitos profissionais que valorizam outras coisas além de um bom salário no fim do mês. Procuram um lugar onde possam continuar aprendendo e que seja território fértil para o crescimento. Para alguns, isso é mais importante do que o salário em si. Para outros, não. Uns consideram que qualidade de vida é mais importante do que qualquer outra coisa e não abrem mão disso. Outros só aceitam trabalhar numa empresa que valorize as pessoas. Nessa fase da profissão ou da vida, são os valores pessoais que definem os critérios na escolha do que se faz, com quem, onde e por quê. Você já pensou em que estágio está e o que realmente está buscando na sua profissão? Já se perguntou por que está trabalhando nessa empresa? Que sentido tem esse trabalho para você? Anote lá naquela folha de papel tudo o que puder sobre isso. De que valores não abre mão de forma alguma por salário nenhum no mundo? O que você faz está realmente de acordo com os seus valores pessoais? Quais são eles? Faça uma pequena lista dos valores de que não abriria mão de forma alguma, por maior que fosse o salário.

Alguns exemplos: qualidade de vida; espaço para crescer; honestidade; verdade; lealdade; segurança; desafios; aprendizado constante; espiritualidade; paz; visibilidade.

Faça a sua própria lista e medite bastante sobre cada um dos valores. Anote os que nortearão sua marca. A partir daí, eles serão o filtro para sua tomada de decisões, por isso é muito importante que a lista seja elaborada com base na mais profunda reflexão pessoal.

Descreva sua situação atual em no máximo dez linhas

Como você se sente em relação ao que faz na vida pessoal e profissional? O que lhe dá prazer e o que o deixa desanimado? Pense na empresa em que trabalha ou na sua rotina diária tomando por base sua lista de valores pessoais. Confronte cada valor para descrever sua atual situação. Avalie se está sintonizado com seus valores ou se tem chance de recuperá-los na posição atual. Descubra as razões da sua satisfação ou insatisfação. O que realmente o incomoda? Reflita sobre isso. Perca bastante tempo nas respostas. Elas são fundamentais para você entender sua situação.

Descubra o que realmente o incomoda, nessa posição

O problema está no que você faz? É sua escolha profissional que o incomoda? Se for, tem chances de reverter a posição atual de forma positiva? Que alternativas poderiam aumentar seu grau de satisfação? Existe algum espaço para mudança? É possível alcançar essa nova posição sem mudar de profissão? Como? Mudando de posição ou de empresa? Isso realmente mudaria o quadro e você estaria mais próximo dos seus valores? A que preço? Em quanto tempo isso poderia ser feito? Que riscos correria? Se fosse mudar, isso seria possível com a sua trajetória profissional e sua bagagem de habilidades e conhecimentos? Você teria de começar tudo de novo? Em quanto tempo? Com que chances de sucesso? Que riscos correria? Há alguém que tenha conseguido uma virada e lhe sirva de exemplo? Já falou com ele sobre isso?

Pense bastante. Esse é um ponto nevrálgico. Você precisa ter muita certeza disso. Não existe posição que não possa ser alterada, mas todas as escolhas e mudanças implicam riscos, e é preciso estar preparado para isso.

O problema é a empresa em que você está?

Se é isso que realmente o incomoda, pense um pouco mais. O que o realmente o incomoda na empresa? Descreva tudo, com detalhes. São as pessoas com quem convive? São as chances de crescimento? É a estrutura da empresa? É a "cara" da empresa? A imagem que ela tem no mercado? É a política de remuneração? É o seu departamento? É a diretoria? São os sócios? São os valores da empresa? É o seu chefe? É você, que não se encaixa nela?

Avalie as outras empresas do seu segmento. Será que são parecidas? Você realmente sabe o que se passa nas outras empresas da sua área? Será que são diferentes da sua, naquilo que o incomoda? Pergunte-se por que em relação a cada uma. Anote as respostas e reflita bem sobre todas.

Pense a médio e a longo prazos

Pense a médio e a longo prazos. Isso é realmente o que você quer fazer até o fim da vida? Tem sentido para você? Quem faz o que realmente gosta aumenta consideravelmente as chances de ser bem-sucedido na carreira e de construir uma marca pessoal com valor. Trabalhar no que não gosta apenas para ganhar dinheiro é uma opção pesada demais. Quando você quiser realmente aproveitar a vida, talvez seja tarde demais.

É claro que isso não é fácil de conseguir. Se você for um engenheiro químico que adora cantar obras líricas e sonha em viver do canto, não será nada fácil abandonar tudo e recomeçar. Qualquer mudança nesse sentido exigirá muita coragem e uma boa dose de sacrifício. Não siga os manuais de autoajuda, que permitem que se faça tudo. Não é tão fácil assim. Você pode fazer tudo, mas terá um preço. Nunca se distancie disso.

Jamais abra mão dos seus sonhos. Se não der para largar tudo agora e realizá-los, trace uma estratégia de migração de sua posição atual para a desejada sem abandonar o trabalho que está fazendo, que lhe paga as contas no fim do mês. Mas descreva isso no papel. Analise meticulosamente cada ponto, cada barreira que terá de ser derrubada, cada sacrifício que essa mudança implicará na sua vida. Avalie tudo muito bem e não deixe de tentar. Não deixe seus sonhos para a velhice. Jamais permita que o dinheiro violente seus valores pessoais. É sempre possível encontrar uma saída, mesmo que com muito sacrifício pessoal.

Veja-se como uma empresa

Analise seus pontos fortes e fracos com base em sua trajetória até aqui. Faça algumas perguntas que serão vitais para você estabelecer seu DNA de marca. Estabeleça duas grandes colunas para ser preenchidas: uma com os pontos fortes, outra com os pontos fracos.

Sua coluna de ativos

Faça essa lista analisando toda a sua trajetória até aqui. Estabeleça uma linha de tempo para a sua carreira e assinale nessa linha os pontos em que a carreira deu saltos positivos. Pense muito em cada um desses saltos. Reflita sobre tudo o que contribuiu para que esses saltos positivos acontecessem no passado. Que habilidades suas estiveram envolvidas nesses saltos positivos? Foi aquele projeto que deu certo e lhe valeu uma promoção? Foi uma apresentação pública que fez sua marca mais conhecida fora da empresa? Foi aquele artigo que você escreveu no jornal do seu segmento? Foi quando a empresa passou por uma crise e você liderou seus companheiros? Foi aquele cliente que estava perdido e que você resgatou? Foi quando começou a dar aula na universidade? Foi quando se associou àquela entidade?

Pense no porquê. Que habilidades suas foram envolvidas em cada um desses sucessos? Anote todas essas habilidades e potencialidades em sua coluna de forças.

Sua coluna de passivos

Agora retome a linha de tempo da sua carreira profissional. Faça novo esforço de memória e assinale na linha todas as rupturas e crises que enfrentou. Assinale cada queda, cada retrocesso, cada momento difícil passado até aqui. Faça o mesmo exercício analisando o porquê dessas quedas ou retrocessos. Analise como participou de cada uma delas e que fragilidades suas foram responsáveis por esses momentos. Foi quando perdeu a cabeça com seu diretor e não conseguiu se controlar no meio de uma reunião? Por que isso aconteceu? Foi quando você perdeu aquele cliente importante para a empresa? Por que ele foi perdido? Por que você não conseguiu reverter aquele quadro?

Imagem de marca. DNA de marca percebido

E chegamos à segunda grande parte desta avaliação: imagem de marca. É a mais difícil de ser realizada e talvez a mais crucial para quem quer planejar a sua marca pessoal. Trata-se de entender o significado da sua marca em sua rede de relações. Ou seja, desvendar seu DNA de marca no mercado.

Como já dissemos, essa parte é a mais difícil de ser realizada sem a ajuda de profissionais. Se você não a fizer, corre o risco de ficar somente com a sua lógica, não perceber as distorções da sua marca e insistir nos erros dos passado. Mesmo assim, se você teve paciência e refletiu muito sobre aquela série de questionamentos pessoais que fizemos anteriormente, já será um passo importante.

Mas, se quiser estar seguro da sua posição na mente do seu mercado, passemos à etapa seguinte. Nela propomos alguns passos que você poderá trilhar sozinho e que fornecerão informações importantes para o seu planejamento de marca pessoal.

Descubra qual é sua rede de relacionamentos mais próxima

Faça uma lista com cerca de 30 nomes de pessoas e de profissionais que o conhecem bem, de profissionais que o conhecem ou conheceram seu trabalho e de pessoas que você considera do seu círculo mais íntimo.

Dessa lista, prepare três outras listas com dez nomes cada uma, conforme o grau de relação que possuem com sua marca pessoal. Serão três grupos: os de profissionais do círculo primário, os de profissionais num círculo mais amplo (secundário) e um terceiro com pessoas muito próximas de você.

A primeira lista: profissionais do círculo primário

Esta lista tem de conter pelo menos dez nomes de profissionais que tiveram contato recente com seu trabalho e com sua marca pessoal. Devem ser pessoas do seu local de trabalho (ligadas diretamente com ele), sócios, chefes, subordinados. O importante é que sinta nelas disposição de lhe dar um parecer sincero e uma visão transparente da sua marca pessoal.

A segunda lista: profissionais do círculo secundário

Esta lista deve ter dez nomes de profissionais que já mantiveram contato com você neste ano ou no máximo nos últimos dois anos, que já conheceram seu trabalho, mas não mantêm proximidade profissional direta com você, no momento. Podem ser ex-clientes, ex-chefes, clientes com relações esporádicas, fornecedores mais distantes, colaboradores eventuais. pessoas que o conhecem, mas não têm contato diário, ou que o conheceram profissionalmente.

A terceira lista: profissionais do círculo pessoal

Na terceira e última lista devem constar nomes do seu círculo mais íntimo, desde pessoas da família até profissionais com quem você convive o tempo todo na empresa e que absorvem boa parte dos seus sinais, conhecem profundamente suas manias, hábitos e gostos. Nessa lista pode constar sua mulher ou seu marido, sua secretária, seus diretores mais próximos, seu sócio.

Prepare sua avaliação

Procure todas as pessoas da lista e peça a elas que respondam a um questionário ou que, num encontro pessoal breve, se disponham a perder alguns minutos para orientá-lo no ajuste da sua imagem de marca.

Pense na forma que for mais conveniente e lembre-se de que o que está pedindo é uma coisa muito importante para determinar a rota da sua marca. Ou seja, afeta diretamente sua carreira. Por isso, perca um bom tempo na formulação dessa lista inicial. A utilidade das respostas será proporcional à credibilidade da lista.

Se você só colocar pessoas que são favoráveis a você (principalmente no círculo profissional primário), terá uma imagem parcial e talvez enganosa. Lembre-se de que você quer descobrir sua percepção no mercado, e não receber elogios. Deixe isso bem claro para cada uma dessas pessoas. Quanto mais sinceras forem, mais o ajudarão.

Monte um questionário

Elabore um questionário bastante simples, mas que pode lhe proporcionar um quadro bem significativo da sua imagem de marca no mercado. Aqui, trabalhamos com a ideia de fugir do racional e das respostas diretas e permitir que as pessoas façam associações.

As questões a responder

Peça ao entrevistado que faça associações entre você e uma série de coisas, situações, objetos, marcas, como nos exemplos a seguir:

Se você fosse um animal, que animal seria? Qualquer animal serve. Qual seria? Um cão dinamarquês? Um daqueles pequenos com latidos estridentes? Um cachorrinho de madame? Um *dobermann*?

Se você fosse uma marca de carro, qual seria? Uma caminhonete fora de estrada? Um carro popular? Uma van daquelas enormes para sete lugares? Um carro luxuoso? De que marca? Um esportivo conversível? Qual?

Se você fosse um bairro da sua cidade, qual seria?

Se você fosse um restaurante da sua cidade, qual seria? Um daqueles que servem por quilo? Seria um bistrô charmoso? Seria uma churrascaria? Seria um tailandês exótico? Ou ainda uma lanchonete qualquer?

Se você fosse uma bebida, que bebida seria? Um uísque 15 anos? Qual? Seria um vinho tinto de uma safra especial? Seria uma cerveja? Seria água mineral? Seria um refrigerante? Qual?

Se você fosse um perfume, qual seria? Um importado caro? Qual? Um de uma marca muito charmosa? Qual? Com aroma mais amadeirado? Mais cítrico? Mais floral?

Peça à pessoa que liste cinco adjetivos que definam sua marca pessoal (positivos e negativos). Somente cinco, para descrever como ela o percebe.

Finalmente, peça ao seu entrevistado que crie uma frase ou um pequeno parágrafo, de três a quatro linhas, descrevendo você para outra pessoa que não o conheça.

Sua avaliação de marca pessoal

Você pode ficar surpreso com o que vai encontrar. Essa técnica permite que a pessoa faça associações livres que proporcionarão importantes respostas para a sua imagem no mercado.

Os bairros são marcas que acabam agrupando pessoas com interesses e gostos comuns, classes sociais e estilos de vida parecidos e por esse motivo refletem uma imagem de marca. Se você refletir sobre a sua cidade, vai reparar que isso é verdade. E também que os animais são símbolos perfeitos para definir padrões e estilos pessoais que podem orientá--lo quanto à sua percepção.

Cada uma dessas questões levará o entrevistado a refletir sobre a imagem de sua marca pessoal. Ao fazer associações, ele não racionaliza nem fica tentando encontrar uma "resposta inteligente" para descrevê-lo. O importante é que você se concentre em cada resposta e pense muito no que ela significa. Agrupe os conjuntos de respostas e analise o que elas revelam sobre suas restrições e sobre suas vantagens competitivas.

Nesse quadro, destaque os adjetivos que foram usados e anote os que aparecem com maior frequência na sua descrição de imagem de marca.

O importante é refletir sobre os significados e os conjuntos de associações. Você certamente ficará impressionado com o que surgirá. Mas não se assuste. Isso é percepção. Se não concordar com as respostas, procure rever seus sinais. Neles estão todas as suas respostas.

Agora, compare

Com base em sua avaliação pessoal e na avaliação externa, faça agora uma comparação entre o que você encontrou e o que relacionou para si mesmo. Compare os adjetivos da sua coluna de ativos com os atributos positivos que descrevem sua imagem. Compare agora sua coluna de passivos com a lista de possíveis atributos negativos percebidos pela audiência externa.

Verifique o que coincide de positivo nas duas listas. Depois, o que coincide entre as classificações negativas ou o que não combina com o seu projeto de marca para o futuro. Se houver muita discrepância entre o seu julgamento pessoal e o que as pessoas fizeram, você deverá refletir urgentemente sobre os seus sinais e o que está gerando isso.

Não economize tempo nessa avaliação. Analise cada aspecto dessa lista em confronto com a sua. Estude as projeções e associações. Tente descobrir que sinais estão embutidos ali. Reveja as duas avaliações quantas vezes forem necessárias. Talvez você encontre aí boa parte das respostas às suas angústias. Conclua esse diagnóstico para conseguir compreender em que posição se encontra nesse momento. Esse é o primeiro passo da estratégia de que trataremos no capítulo seguinte. Então, não desista agora. Vamos lá! Boa reflexão!

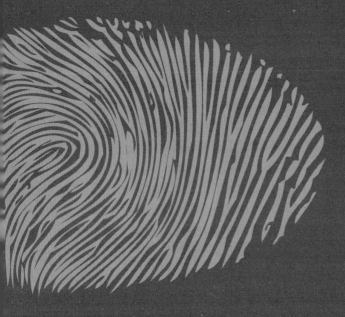

Capítulo 9

stratégia para a sua marca pessoal

Ao trabalho!

Ao realizar sua autoavaliação, você encontrou sua posição atual. Você se conhece muito melhor e com muito mais profundidade. Sabe realmente o que o incomoda, quais os valores de que não abre mão por salário nenhum. Sabe a razão de suas conquistas e de seus fracassos do passado, sabe que características sempre o impulsionaram para a frente (fizeram você brilhar) e que aspectos o impedem de ter sucesso (seu passivo). Se aprofundou com seriedade essa reflexão, agora sabe em que ponto está. O acervo levantado (de forças e fraquezas) o situa num certo patamar. Leia a frase ao lado, baseada em Sun Tzu e Clausewitz.

A estratégia perfeita é aquela que provoca a decisão sem necessidade de combate. É ganhar a guerra sem derramar sangue, é ganhar a guerra antes da guerra. É como num jogo de xadrez, em que a estratégia perfeita é chegar ao xeque-mate com a mínima perda de peças. Cabe à estratégia consumar o objetivo traçado utilizando seu poder com a máxima rentabilidade.

Essa é sua posição atual. Agora é hora de pensar estrategicamente em como alcançar seus objetivos. Você precisa pensar em estratégia de marca, numa estratégia para a sua carreira, na melhor estratégia para a sua marca pessoal. Vamos ao trabalho!

Visualize sua atual posição de marca

Toda essa reflexão vai ajudá-lo a encontrar oportunidades que até então poderiam passar despercebidas. Alguns aspectos que você considerava como um problema podem ser uma grande oportunidade para buscar sua diferença, sua promessa de valor no mercado.

Você cursou três faculdades de que gostava na época, mas nenhuma o empolgou o suficiente para seguir carreira, e agora está tateando entre uma e outra. Pense no que poderá resultar como conjunto de habilidades e conhecimentos se você juntar essas três faculdades do seu acervo pessoal numa única denominação. Será que isso faria sentido? Será que não existe aí um conjunto de competências que podem tornar sua marca diferente?

Você fez faculdade de agronomia, depois engenharia civil e se especializou em reciclagem, mas o que o empolga mesmo é fazer novos negócios e ser empreendedor? Como você se denominaria? Olhando esse conjunto todo, o que há de diferente com valor para o mercado? Você conseguiria juntar esses três conhecimentos/capacidades/competências e transformá-los em algo atraente, rentável e de grande interesse para o mercado?

Você escolhe. Ou se conforma em ser um sujeito que não sabe o que quer e continua numa eterna procura, ou pensa profundamente na sua posição atual no que diz respeito a oportunidades e vira o jogo a seu favor.

A partir de agora você vai entrar num processo de questionamentos constantes. A cada novo questionamento, reflita sobre sua posição e tente visualizar coisas novas, novos caminhos. Derrube seus paradigmas e mergulhe nessa proposta. Eu nunca afirmei que seria fácil. Mas não é impossível, garanto.

Entre num processo de questionamento constante

Chegou o momento de entrar num processo de fazer perguntas à exaustão e montar possibilidades de cenários e novos caminhos para sua marca pessoal. Alguns exemplos de questionamentos e de quadros lógicos para refletir sobre sua marca pessoal:

No acervo pessoal da sua marca, o que você encontra de melhor, de diferente?

Em que aspectos você não é igual aos outros profissionais?

Esse acervo é mais forte em habilidades ou em formação técnica?

Você domina outras funções além daquelas que exerce todo dia?

Pense em termos de funções: olhe para todos os aspectos da sua vida e analise as fontes de sucesso do passado. Onde se encaixou e conseguiu resultados?

Lembre-se daqueles projetos em que mergulhou de corpo e alma e que se tornaram fonte de muito prazer, além do seu trabalho rotineiro. Quais foram? Que aspectos foram decisivos?

Pense de forma hifenizada
para encontrar sua posição

Pense em palavras: formação-habilidades-competências-paixões de forma hifenizada, como se fossem uma mistura que multiplica, potencializa e o torna esse híbrido, completamente diferente de todos os outros. Exemplos: advogado-especialista-em-negociações-iniciador-empreendedor-apaixonado-por-construção-de-cenários; médico-empreendedor-formador-de-equipes-especialista-em-saúde-pública-apaixonado-por-urbanismo; arquiteto-publicitário-promotor-de-eventos-apaixonado-por-intervenções-urbanas; homem-de-negócios-iniciador-filantropo-especialista-em-terceiro-setor-apaixonado-por-programas-de-qualidade; psicólogo-professor-agente-de-mudanças-especialista-em-experiências-memoráveis-com-equipes-de-vendas-apaixonado-por-varejo.

Quem fez menção a essa lógica foram os escritores suecos de *Funky Business*, Kjell A. Nordström e Jonas Ridderstrale (professores da Faculdade de Economia de Estocolmo), quando denominavam a sociedade *funky* de hoje. Uma sociedade recortada, feita de colagens, de convergências, que busca o diferente para sair do excesso. Uma mistura que potencializa e cria coisas novas, produtos inovadores, serviços diferentes e múltiplos para empresas. Nordström e Ridderstrale dizem: "O valor criado deve ser maior do que a soma das partes combinadas. Em outras palavras, a hifenização lucrativa requer combinação de coisas de tal maneira que seja criado o valor extra".

Você pode aplicar essa teoria para construir sua posição diferenciada de marca pessoal. Uma combinação única, singular, com base nas suas competências, que seja inatingível pelos seus pares no mercado. Reflita sobre a diferença singular e o valor que pode existir no mercado entre um publicitário (genérico e igual a todos os outros publicitários – que por sinal são muito parecidos entre si) e um publicitário-designer-especialista-em-imagem-apaixonado-por-inovação. Quem você acredita que torna singular sua posição no mercado? Quem você acha que pode gerar valor com base na sua posição única?

Agora, pense. Que conjunto de habilidades e especializações podem torná-lo diferente dos seus colegas de profissão e aumentar seu valor no mercado? Você é um advogado tributarista, sócio de um escritório de advocacia, mas o que mais o empolga é o momento da prospecção de novos clientes ou o fechamento do negócio? Como você se denominaria? Em que isso se diferencia de outros milhares de advogados tributaristas com a mesma formação que você, sócios de outros escritórios? Que valor você acha que esse acervo pessoal de marca pode ter para outro negócio que exija conhecimento de leis tributárias e em que o mais importante seja a prospecção e o fechamento de negócios fora da área do direito?

Você é um engenheiro civil, mas a parte da sua rotina em que você consegue brilhar mais é o desenvolvimento de um novo empreendimento ou a discussão do projeto com o empreendedor ou os financiadores? Você se empolga mais com a venda interna do projeto e fica fascinado com a capacidade que você tem de incutir nos outros uma ideia diferenciada? Você seria capaz de transferir essa habilidade para outros negócios, como levantar fundos para projetos do terceiro setor que necessitem conhecimentos de engenharia e ao mesmo tempo uma profunda paixão pela venda do projeto?

Você é um redator publicitário apaixonado por arte e cinema e profundo conhecedor do assunto. Quando escreve sobre isso, o tempo não existe e você passa horas mergulhado, como se fosse a única coisa no mundo a fazer. Você faz com paixão e prazer. Em que isso poderia ser valioso numa agência de publicidade? Em que agência essa sua habilidade teria muito valor? Em que isso poderia torná-lo diferente no mercado fora do mundo das agências de publicidade? Que outros setores poderiam precisar de um profissional que escrevesse muito bem e que conhecesse com muita profundidade os temas de cinema e arte? Seria possível migrar para outra posição? Seria possível arriscar uma carreira independente de redator-publicitário-crítico-de-arte-cinema?

Que funções você executa muito bem, independentemente da sua profissão e do conteúdo técnico, que podem ser transferidas para outro cenário de trabalho? Você é um iniciador ou se julga melhor implementador? Não importa qual seja sua profissão hoje, você se considera um líder nato e formador de equipes talentosas? Onde essa capacidade poderia ser muito valorizada numa área pela qual sempre foi apaixonado?

Parta de uma macrovisão – pense no mercado como um todo, feche um pouco o ângulo de visão e pense em segmentos de negócios; em seguida, busque as atividades que precisem dessas competências/capacidades/habilidades.

Desprenda-se do seu cartão de visita

Se você se olhar tomando como base o nome que está escrito no seu cartão de visita – seu cargo –, fechará demais o campo de visão e também as oportunidades. Talvez esse cargo, ou até mesmo sua profissão, não exista mais daqui a alguns anos. Essa é uma visão limitada num mundo que se movimenta de forma frenética, criando e matando especialistas em três ou quatro anos. Algumas faculdades são abertas e, quando a primeira turma ganha o mercado, a profissão deixa de existir. Se você ficar preso às profissões, correrá sério risco. Os cargos terminam, as denominações mudam, os empregos tradicionais podem deixar de existir ou se transformar amanhã. E você, está agarrado ao seu cartão de visita e acredita que o que está escrito ali representa realmente você?

Se você aprofundar a reflexão sobre seu conjunto de talentos únicos, habilidades e competências pessoais, abrirá mão desse leque de possibilidades. Passará a se enxergar de outra forma e não ficará preso a cargos e profissões. Talentos, habilidades e competências podem determinar uma diferença singular e valiosa para a sua marca pessoal. Uma diferença única (com muito valor), que o levará a vislumbrar um novo cenário e a se preparar para as mudanças na sua trajetória. Tudo o que falamos até agora tem um único objetivo: **tornar a sua marca pessoal diferente e com valor no mercado**.

Nunca se esqueça: os iguais não têm valor. Em personal branding, a chave é criar e manter essa diferença no mercado e ganhar notoriedade e reputação com ela. Para avaliar sua posição atual, você deve estar muito consciente disso e descobrir qual é a sua diferença. Você é diferente? Em quê? Essa diferença pode ter valor no mercado? Como? Em que segmento? Em que tipo de empreendimento você poderia gerar valor com base na sua posição?

Não se deixe levar pelo autoengano

Da mesma forma, mascarar suas fragilidades não vai levá-lo a lugar algum. O autoconhecimento é fundamental para você saber quem é e ter plena consciência dos seus ativos e passivos. **Você precisa ter plena consciência das suas diferenças como marca pessoal**. Essa reflexão lhe dará a exata dimensão do que deve ser revisto, minimizado, ampliado, explorado e melhorado na sua marca pessoal. Se não levar isso a sério, correrá o risco de partir de uma posição errada. Lembre-se: é melhor subdimensionar do que supervalorizar essas capacidades. Se você partir de uma posição errada, estabelecerá um caminho equivocado e não chegará a lugar nenhum.

Caso não esteja totalmente seguro sobre esse aspecto, mas a ideia o fascine, por que não usa esse momento para aprofundá-la? Por que não parte dessa perspectiva atual, mesmo admitindo fragilidades, e determina que a partir de hoje isso será uma prioridade no seu desenvolvimento?

Não se limite ao diagnóstico pessoal

Boa parte de nós tem uma visão distorcida entre o que achamos que somos e como somos percebidos. Isso sempre foi um elo frágil nos livros de planejamento pessoal. De nada adianta nos supervalorizarmos diante das pessoas se elas têm uma visão completamente diferente da nossa imagem. Essa visão distorcida é bastante comum e muitas vezes é fruto da autoestima elevada e da arrogância.

Boa parte da responsabilidade por nossa avaliação está em nossas mãos, desde que haja uma profunda reflexão sobre os motivos dos sucessos e insucessos da nossa trajetória passada. Bom senso e razão são fundamentais aqui. Se não encontrar pelo menos cinco pontos críticos negativos na sua imagem pessoal, é porque você certamente está sendo generoso demais consigo mesmo. Pense bem. Pense mais ainda. E volte a pensar uma semana depois. Avalie cada característica positiva e negativa. Não seja severo demais consigo mesmo, mas também não seja complacente com seus defeitos. Reflita e faça perguntas usando adjetivos para caracterizá-lo. Isso facilita e torna mais segura a análise de sua marca pessoal.

Avalie seu valor-prêmio

Uma boa análise da sua marca pessoal deve incluir seu valor-prêmio. É o valor que o conjunto das suas diferenças (seus ativos de marca) tem no mercado quando comparado a outros profissionais que desempenham atividades semelhantes. Nesse processo, avalie que diferença você faz no mercado em relação aos seus pares (quanto de valor você agrega no mercado com sua marca). Alguns exemplos de perguntas:

Qual é sua diferença, em termos monetários, para a empresa que o contratar? Quanto você gera de riquezas com seu trabalho? Quanto gera de novos negócios? Ou seja, quanto vale no mercado hoje? Quantas empresas estariam procurando uma pessoa assim como você? Quanto o concorrente estaria disposto a pagar para levar você? Isso é mais do que os profissionais ganham no mercado?

Inclua em seus projetos e na visão de longo prazo um valor-prêmio futuro desejado por você. A partir dessa perspectiva, você está pronto para começar a pensar em termos estratégicos e avaliar quanto lhe falta para chegar lá. Calcule quanto ganha atualmente exercendo tal atividade ou função e tente descobrir qual é a média de mercado. Depois procure saber quem é o líder da categoria, quem tem o maior valor-prêmio, quem é o profissional mais bem pago do setor. Avalie a distância entre a posição dele e a sua, calcule diferenças de idade, tempo de mercado, tamanho do mercado. Reflita profundamente sobre isso e descobrirá qual é o seu valor-prêmio hoje no mercado. A partir daí, olhe para a frente e para seus objetivos.

Estratégia. Do ponto A para o ponto B

Você está no ponto A. Seus objetivos estão no ponto B. Agora você precisa encontrar uma forma de sair de um para chegar ao outro. Isso é pensar estrategicamente na marca pessoal. **Se você tem metas e objetivos, mas não tem uma estratégia, desculpe, ainda não tem absolutamente nada!** Ou melhor, tem apenas um sonho, um vago sonho...

Imaginar que listar objetivos resolve tudo é um grande engano. Há muita gente que vai se deitar e acorda idealizando uma situação, querendo alguma coisa (alguns nem sabem direito o que é), mas não param para pensar num aspecto fundamental para essa conquista: COMO?

Compre pelo menos o bilhete

Isso me lembra uma velha piada que costumava contar nas minhas palestras, sobre um sujeito que rezava desesperadamente todas as noites para ganhar na loteria. Ia à igreja e pedia sempre a mesma coisa: ganhar na loteria. Por anos a fio fez sempre o mesmo pedido, até que um dia Deus se irritou com a insistência dele e lhe disse o seguinte: "Por favor, quero ajudá-lo a ganhar na loteria, mas pelo menos compre o bilhete!".

O que alguns de nós fazemos é mais ou menos isso. Queremos muitas coisas e vivemos reclamando do que temos. Queremos mudar de vida, de emprego, de profissão, queremos que a nossa marca pessoal brilhe muito, queremos ganhar mais projeção, mais dinheiro, mas não fazemos absolutamente nada de concreto para isso. Transformamos alguns sonhos pessoais em verdadeira obsessão – ideia fixa mesmo –, mas não somos capazes de traçar um plano e uma estratégia para isso. Entregamos nossos grandes sonhos à empresa, aos colegas, aos chefes, à própria sorte e esperamos, esperamos, só esperamos. Não compramos o bilhete!

A inércia, o medo e as zonas de conforto corporativas quase sempre são o motivo de tanta frustração no futuro. E a pior coisa que existe é conviver com alguém que culpa o mundo e todos à sua volta pelo seu fracasso pessoal quando, na verdade, é ele o único culpado, por sua incapacidade de reagir. Você ainda está aí?

Acredite na sorte, mas tome uma atitude

Também acredito na sorte, é claro, mas acredito muito mais no esforço pessoal e na determinação em perseguir o que queremos na vida. Acredito muito mais na **atitude**: essa é a porta aberta que atrai muita sorte.

Nas primeiras páginas deste livro, falamos sobre os profissionais que parecem ter muita sorte e vivem em ascensão constante, sempre conquistando mais. Se você analisar a trajetória desses "sortudos", vai constatar que por trás da aparente sorte há muito de atitude, de determinação, garra, coragem e quase nada de acomodação.

Estratégia tem muito a ver com isso: é tomar a atitude de fazer, dar o primeiro passo, buscar o que traçou para a sua marca. Para construir sua diferença de valor, você deve ter a exata noção daquilo que precisa descartar e daquilo que tem de conquistar. O processo exige análise, reflexão, mas também muita determinação de vislumbrar o ponto lá no horizonte (o ponto B – seus objetivos) e de promover as mudanças necessárias para chegar lá.

As pessoas querem, mas não sabem como fazer

Há muitas pessoas que se dizem insatisfeitas com a trajetória de sua vida e de sua carreira. Umas ficam deprimidas com a situação. Outras, desiludidas com o futuro e entregues à própria sorte. Mas algumas querem seriamente mudar e até sabem o que desejam fazer, mas não conseguem pôr isso em prática. E é aí que entra a estratégia.

Se analisarmos um pouco, veremos que muitas pessoas entraram de cabeça num processo que combina a alta tecnologia com a busca de suas raízes para encontrar alguma coisa que não sabem explicar muito bem. É um paradoxo entre futurismo e busca do passado para fugir da angústia do desconhecido na virada do último século. É a febre do milênio prevista há mais de dez anos pelo americano James Rosenfield, que descrevia muito bem essa situação.

A busca do místico para chegar lá

Na virada do milênio e no início deste novo século, as pessoas, ao resgatarem a simplicidade da vida, resgataram também o místico com uma força nunca vista no último século. A diferença agora é que esse lado místico convive com o que há de mais avançado em tecnologia. Seu astrólogo provavelmente utiliza um *notebook* de última geração, arquiva eletronicamente suas previsões e mapas e vive pendurado no *i-phone*!

Não vivemos mais sem uma parafernália tecnológica, e para fugir dela buscamos o simples, o rústico, o não lógico, o desconhecido, o místico. É a tendência que o futurólogo americano John Naisbitt chama de *high-tech*, *high-touch* e que serviu de título para o seu livro. Ela mostra a convivência paradoxal entre a necessidade desesperada de incluir a tecnologia em nossa vida e ao mesmo tempo fugir da tecnologia e reencontrar o contato humano, a personalização.

Colocamos velas acesas ao lado da banheira para relaxar no fim do dia (na frente do computador), incenso para ouvir música (num equipamento de última geração), buscamos novos aprendizados pelas experiências místicas (de um consultor internacional que tem seu próprio jatinho), procuramos dicas das terapias alternativas (que recebemos pela internet ou pelo celular). Arquitetos modernos e famosos oferecem serviços que já incorporam o *feng shui* no projeto de novos ambientes. Existem consultores e especialistas em harmonização e limpeza espiritual de ambientes empresariais. É a versão moderna da velha benzedeira e dos galhos de arruda que se colocavam no escritório para evitar mau-olhado.

Nunca se viu tanta busca pelos ensinamentos orientais, pelas curas não tradicionais, pela harmonização dos ambientes, pela cromoterapia, pela aromaterapia, pelos cristais, pelos ensinamentos budistas. Nunca se viu tanta gente colocando sininhos de vento nas janelas, querendo fazer *reiki* para harmonizar os chacras ou aplicar os ensinamentos milenares do *feng shui* em sua casa. A população hindu nos Estados Unidos passou de 70 mil, em 1977, para 800 mil alguns anos atrás. E o budismo, a religião oriental que cresce mais rápido nos Estados Unidos, tem aproximadamente 750 mil adeptos. A cantora Madonna, em mais uma de suas metamorfoses geniais, transformou-se em adepta fervorosa da cabala – um misticismo judaico secular.

As pessoas querem chegar lá

Boa parte dessas pessoas busca a harmonia pessoal e a tranquilidade num mundo frenético (com exceção da Madonna!), mas a grande maioria dos mortais quer ter sucesso e prosperidade com curas esotéricas e soluções místicas. Todos querem uma solução rápida e fácil (de preferência sem nenhum esforço pessoal) para ganhar mais dinheiro, conseguir um novo emprego, crescer na carreira e fazer sucesso.

O problema é que resumem seus esforços somente no querer e no esperar. Agem apenas no campo místico e esquecem o que precisariam fazer no campo mundano. Não existe solução milagrosa para o sucesso da sua marca pessoal ou para a grande virada na sua carreira. O teatro de guerra é aqui.

Os livros de autoajuda são uma praga moderna que prospera como erva daninha na esfera do desespero corporativo e da ingenuidade psicológica. Desconfie de qualquer solução fácil. Lembre-se de que neste exato momento muita gente está buscando as mesmas soluções que você. Talvez com o mesmo astrólogo que você! Neste exato momento, alguém está acendendo uma vela para conquistar sua posição! Você vai ficar parado? Você ainda está aí, esperando?

Estratégia não é achar que tudo é possível

Os livros de autoajuda e os cursos de motivação tentam nos fazer crer que podemos conseguir tudo e só pelo querer nos tornaremos fortes e imbatíveis em nossas conquistas. Ao sair de uma palestra dessas, você se sente um gigante, cheio de motivação, emocionado com sua força interior, com lágrimas nos olhos e no dia seguinte tudo desmorona e você volta à velha rotina de querer sem saber como fazer. E descobre que não sabe como chegar lá.

Você precisa de estratégia. Pensar estrategicamente na sua marca pessoal e na sua carreira é cercar-se de informação para determinar a rota certa, o movimento certo. Isso implica uma dose alta de autocrítica e análise e muito poucas divagações e sonhos. Estes servem maravilhosamente bem para você visualizar o futuro lá na frente, cristalizar essa imagem na mente e saber aonde quer chegar. Servem para alimentar o motor e poder suportar as dificuldades do caminho. Mas os sonhos são o ponto de partida, e não de chegada. Pode deixar o incenso queimando, as velas acesas e o sininho de vento pendurado na janela (eu também gosto disso), mas você precisa de estratégia para chegar lá! Existe uma guerra lá fora, e para falar de estratégia precisamos falar em termos militares. Não se assuste. Essa guerra é interna – é você com sua marca.

Estratégia em termos militares

Estratégia nada mais é do que vislumbrar esses dois pontos (ponto A – onde estamos – e ponto B – para onde vamos) e determinar uma forma de chegar lá. Muito se discute sobre estratégia no campo do marketing, mas a essência do termo vem das manobras militares no campo de guerra. Estratégia é a arte militar de planejar e executar movimento e operação de tropas, navios e aviões para manter ou conquistar uma posição relativa ou potencial favorável a futuras ações táticas. A estratégia em termos militares, de maneira geral, está relacionada com a necessidade de deslocamento de um ponto A para um ponto B num determinado território.

O conhecimento é básico em estratégia militar

Para deslocar uma tropa militar, equipamentos, carros de combate, blindados de um ponto a outro, os militares avaliam o território, analisam forças e fraquezas em termos numéricos (contingente militar) e em termos bélicos (força em equipamentos, armas e munições) e traçam

Personal Branding

uma estratégia de como chegar lá. Nesse processo, diversas variáveis são minuciosamente estudadas, entre elas o território em si (a topografia), os fatores climáticos, a presença de civis no território, a geografia (dificuldades com desertos, florestas, rios e lagos), a distância a ser percorrida, a possibilidade de manter uma linha de suprimentos (alimentação, roupas e remédios para a tropa), a logística para levar munição e equipamentos, o grau de dificuldade da manobra.

Enfim, um estrategista militar cerca-se do maior número possível de informação para poder traçar a melhor estratégia, o melhor caminho para chegar ao seu objetivo maior: a ocupação. As guerras do final do século passado e do início deste, apesar de utilizarem um arsenal tecnológico fantástico, continuam fiéis aos princípios militares que nasceram no início do século e ainda são estudados pelos exércitos do mundo inteiro. O pai desses ensinamentos é Karl von Klausewitz, um general prussiano (1780-1831) ainda hoje venerado pelos militares, que escreveu o maior tratado sobre o assunto, o livro *Da Guerra* (publicado postumamente em 1832-1837 por sua esposa). Nele estão os fundamentos de todos os manuais militares que se aplicam até hoje e que embasaram boa parte do que se conhece como doutrina militar. Muitos dos seus princípios em estratégia militar foram aplicados ao mercado e deram base aos fundamentos das estratégias de marketing na metade final do século passado.

O conhecimento é fundamental na estratégia da sua marca pessoal

Você precisa cercar-se do maior número possível de informação sobre o "território" que vai enfrentar para ter sucesso. Analise a "topologia" e descubra em que território está entrando. Que mudanças estão ocorrendo, que valores são críticos nessa área, que conhecimentos e habilidades são valorizados, que diferenças são vitais para vencer o jogo lá na frente. Quais funções serão valorizadas e que tipo de profissional está com os dias contados nesse cenário? Quais são seus inimigos nesse território? Qual é o nível dos profissionais com quem terá de competir? Que grau de dificuldade e que tipo de oposição vai enfrentar?

Não existe vitória sem ocupação física. É preciso chegar lá

A Guerra do Golfo e a recente (e interminável) Guerra do Iraque são provas irrefutáveis do que estamos falando. Ocupar um território inimigo para as tropas poderem atravessar um deserto, mesmo utilizando o que há de mais moderno em satélites, aviação, blindados e equipamentos eletrônicos, continua sendo uma operação de alta complexidade e risco.

Em termos militares, não existe vitória sem ocupação física. Bombardear uma cidade estratégica e destruir alvos militares (às vezes civis) numa "guerra cirúrgica" pode significar superioridade militar, mas não significa vitória. Vitória é ocupação. Ocupação física, domínio completo. Sem ocupação, a guerra não está concluída. Lembre-se do que aconteceu no passado com os Estados Unidos no Vietnã, com a antiga União Soviética nas montanhas do Afeganistão, mais recentemente, ou do que ocorre hoje com os Estados Unidos na Guerra do Iraque.

A estratégia e sua marca pessoal

Você precisa pensar de maneira ampla, com certo distanciamento de visão, e olhar o campo como um todo. Isso significa visualizar todo o mercado e o significado da sua marca pessoal, das suas diferenças como marca e da sua posição nesse contexto. O território a ser conquistado são seus objetivos lá na frente, a posição que quer ocupar.

A estratégia, conforme o general Klausewitz, determina o tempo, o lugar e as forças a serem empregadas. Isso pode ser feito de vários modos – e cada um deles afeta diferentemente o resultado e o sucesso da batalha.

Ou seja, você deve considerar cada um desses elementos na construção da sua estratégia: quanto tempo vai gastar na realização dos seus objetivos, na preparação e na movimentação tática, em que mercado você está inserido (grau de competitividade, em ascensão, estável, em declínio), com que forças vai entrar em combate (empresas desta área, profissionais que disputam esse posicionamento) e a força que empregará nesse esforço até realizar seus objetivos (sua disponibilidade de tempo, energia, capital, conhecimentos, bagagem de experiência, habilidades, rede de contatos).

Cada elemento combinado estabelecerá graus diferentes de potencialidade na estratégia. Você deve medir cada um, refletir sobre sua capacidade de implementação e determinar a melhor estratégia, lembrando sempre que a melhor delas é aquela que o colocará mais próximo da vitória com o mínimo de perdas, ou seja, aproveitando ao máximo todo o seu potencial (conhecimentos, capacidades, imagem, atitudes).

A estratégia está associada ao longo prazo

O sucesso estratégico é a preparação favorável à vitória de cada movimento tático que você vai empreender. A estratégia está associada aos objetivos a longo prazo, e as táticas relacionam-se com metas, ou seja, com o curto prazo. A visão estratégica é a movimentação do todo, é a movimentação geral de um ponto a outro. Está associada ao conceito maior aplicado à marca. A tática está ligada à movimentação ligeira, com os movimentos que você precisa fazer rapidamente e que devem ser adaptados conforme as condições de cada etapa e a movimentação do mercado.

Estratégia e tática

Em termos militares, a tática lida com a forma da batalha individual, enquanto a estratégia lida com seu uso. Ambas (tática e estratégia) afetam as condições dos movimentos e das posições empregadas durante a batalha, e a diferença entre elas é que uma está ligada à forma e outra ao significado. A tática ensina o uso correto e eficaz das forças armadas em batalhas, ao passo que a estratégia ensina o uso das batalhas em guerra.

Pense em estratégia como na escalada de uma parede cheia de fendas e frestas. Seu objetivo é chegar lá em cima: sua tática é aproveitar cada entranha da parede para diminuir o esforço da escalada, e a estratégia é tirar o melhor proveito da parede, gastando o mínimo de energia, no menor tempo possível.

Na movimentação tática, você contará com sua própria agilidade e com equipamentos, cordas, sapatos especiais (seu ferramental, seus conhecimentos, suas habilidades). No mercado, você vai tirar proveito das oportunidades que surgirem à sua frente (as fendas e frestas vão escorar seu peso e impulsionar seus próximos passos).

Sua trajetória pessoal rumo ao topo segue a mesma lógica. Você traça um plano a longo prazo e uma estratégia para chegar lá. Nesse processo, precisa fazer investimentos pessoais na sua bagagem (seu ferramental), precisa fazer movimentos laterais e em diagonal, mas sem se distanciar do objetivo lá na frente. Ou seja, pode fazer um recuo para tomar mais impulso, pode se deslocar lateralmente ou fazer uma parada estratégica, mas sempre com a ideia de cumprir seu objetivo maior: chegar lá.

Pense na escalada como se fosse subir por uma treliça

Imagine sua carreira e sua marca pessoal como se fossem de treliça. Você não conseguiria subir verticalmente, pois teria de fazer muito esforço e, se ficasse somente nos deslocamentos horizontais, estacionaria num patamar. Então se desloca nas diagonais, passo a passo, cria forças e empreende nova subida, para um novo patamar.

É aí que muita gente se perde. Quando não existe uma estratégia e um ponto visível (foco) lá na frente, você acaba se dispersando e fazendo investimentos desnecessários ou contrários ao seu objetivo. Às vezes, muda de emprego, para ganhar mais do que recebe hoje, e depois de dois anos descobre que perdeu o foco e retrocedeu na carreira, perdendo o que já havia conseguido.

Por isso, a visão estratégica é muito importante. Por isso, esse foco lá na frente, a longo prazo, é o seu grande sinalizador para responder aos seus questionamentos futuros. Se você não estiver muito concentrado nesse ponto, perderá a rota, e aí poderá ser tarde demais para voltar ao curso.

Pense na tática em termos militares

Numa frente de batalha, os obstáculos são inevitáveis pela dinâmica da guerra. Você se movimenta com base em um plano traçado, mas obviamente deve saber que o inimigo também procura prever sua estratégia e contra-atacar, criando manobras, dissimulando e impondo obstáculos que precisam ser vencidos taticamente. Se há risco de corte na linha de suprimentos (suas economias), um recuo estratégico pode ser a melhor saída para não matar de fome seus homens na frente de combate. Uma parada estratégica talvez seja uma chance de reavaliar o território e buscar uma saída com menores perdas. Acidentes e falhas podem comprometer a batalha pela conquista de um alvo estratégico que aparentemente era fácil.

Sua carreira e as adaptações do seu plano de marca pessoal devem ser encaradas dessa forma, com manobras táticas rápidas e movimentos ligeiros, sempre respeitando a estratégia e seu plano de longo prazo. O investimento na formação ou na aquisição de novos conhecimentos numa área estratégica é um movimento tático que você deve considerar. Se você recusa uma promoção numa área que não é a sua, estará recuando e talvez não seja compreendido pelos seus pares; mas, se achar que ela pode tirá-lo da rota, não hesite em recusar.

Conheci muitos profissionais que migraram para outros setores de forma oportunista, alimentados pelo sonho imediato de ganhar mais a curto prazo, mas depois de algum tempo descobriram que não se encaixaram na nova posição e perderam preciosos anos de escalada rumo a um objetivo maior. Lembram-se dos salários fantásticos dos executivos da nova economia?

Nessa onda, diversos profissionais perderam completamente sua posição no mercado e tiveram prejuízos irreversíveis na carreira. Parecia uma onda perfeita para ser surfada por qualquer um que tivesse muito arrojo e disposição. A verdade não foi bem essa, e muita gente ganhou dinheiro a curto prazo, mas se deu mal e ficou com grandes arranhões na marca pessoal e na carreira.

Avalie os riscos de seus movimentos

Há profissionais que, pressionados pela tensão do seu setor, pela angústia diária por resultados e pela alta competitividade, buscam saídas que parecem perfeitas num primeiro momento. Migram, na própria organização, para posições que não exigem tanta pressão e proporcionam mais prazer e assim conseguem manter seu patamar salarial. Conservam a remuneração e ganham qualidade de vida.

Há riscos nesse movimento? Sim, muitos. A posição pode não ser estratégica para a empresa e você passará a ser encarado como um elemento fácil de ser substituído ou uma posição a ser extinta na primeira crise financeira. O fator decisivo aqui é você pensar em termos estratégicos: valerá a pena o risco? Esse aparente recuo para uma zona de menos pressão o ajudará a estar preparado para um novo patamar mais seguro, logo adiante? Quanto tempo deve prever para essa posição enquanto se prepara? Vale a pena correr o risco de demissão se a empresa entrar em crise? Conseguirá voltar para a posição anterior sem grandes arranhões? Tem alternativas caso isso aconteça?

Abrir mão como movimento tático

Por outro lado, você pode abrir mão de um cargo de gerência numa empresa de grande expressão e assumir a diretoria numa empresa menor, simplesmente para adquirir experiência em um cargo de direção que no futuro pode representar sua volta para as grandes empresas a partir desse patamar conquistado. Ou fazer essa troca apenas para garantir mais qualidade de vida e espaço na sua agenda para investir em mais conhecimento. Ou ainda para ganhar experiência na condução do leme de uma empresa menor. São recuos táticos que podem fazer uma grande diferença na administração da sua carreira e nos investimentos em sua marca pessoal.

Também é necessário levar em conta as táticas em termos militares. O exemplo que relatei anteriormente, do corte na linha de suprimentos, é algo vital para a sua carreira e a imagem de sua marca pessoal. A linha de suprimentos é seu poder de sobrevivência – você conseguiria sobreviver saindo da atual empresa? Por quanto tempo? Que riscos devem ser considerados nesse afastamento (recuo estratégico)?

Parar como movimento tático

Você precisa considerar se um movimento tático que o tirará do mercado por algum tempo pode agregar valor suficiente à sua marca para lhe permitir voltar ao mercado num patamar superior. Um MBA no exterior talvez seja um ótimo investimento nos seus ativos de marca, mas é bom avaliar se, ao voltar, após alguns anos, você conseguirá se recolocar. O valor investido pode ser recuperado? Em que prazo? Que riscos devem ser considerados nessa decisão?

A maioria das pessoas se prende aos manuais e faz investimentos que nunca serão recuperados simplesmente porque todo mundo está fazendo. Se os manuais ensinam que todos devem investir no conhecimento de duas línguas estrangeiras para estar aptos no mercado; você pode estudar outro idioma que não inglês ou espanhol. O que deve sempre ser avaliado é quanto de valor esse investimento incrementará à sua marca pessoal e se no momento ele é estratégico para a consecução do seu plano. E também quanta diferença ele trará. Ou seja, pense em criar diferenças para a sua marca no mercado. É nisso que deve se concentrar e pensar estrategicamente.

Talvez você descubra que outra língua estrangeira no seu currículo pode ser mais estratégica (mandarim, se estiver pensando em possibilidades de negócios com a China) ou que um mestrado lhe trará muito mais valor do que uma terceira língua estrangeira (pelo menos nesse momento). Ou ainda que esse conhecimento estratégico não vem de uma nova língua estrangeira nem de um mestrado, mas de um mergulho em leituras e cursos rápidos em determinada área, no desenvolvimento de uma habilidade ou na transformação de uma paixão pessoal em diferencial.

Não se atenha aos manuais

Não fique preso aos manuais (nem considere este livro um manual. Fuja das regras e de preferência desconsidere os manuais. Rasgue-os, se for preciso, e use o bom senso). Pense bem e avalie sempre com a visão estratégica lá na frente, no seu objetivo maior. Assim ficará mais fácil definir o que fazer ou no que investir.

Existe uma guerra lá fora. Uma guerra de percepções. Todos os grandes generais do mundo, em todas as épocas, sempre afirmaram que não existem manuais que sobrevivam ao combate no campo de batalha. Existem, sim, generais brilhantes, estratégias perfeitas e fundamentos da doutrina da guerra que você deve sempre considerar.

O vice-almirante João Carlos Gonçalves Caminha, no volume 2 do livro *Delineamentos da estratégia*, explica: "O general Moltke, durante três décadas, chefe do Estado-Maior do Exército alemão, também rejeitou a ideia de que algum estrategista pudesse seguir um rígido conjunto de regras. Segundo ele, a estratégia era a arte das ações sob pressão nas mais difíceis condições e pertencia, assim, a um sistema de fazer deslocamentos oportunos, sendo, portanto, um sistema de expedientes *ad hoc*".

Migrar para outro setor como manobra tática

Você pode considerar como movimento tático em sua estratégia até mesmo a ideia de migrar para outra posição na empresa, num cargo menos vantajoso do ponto de vista financeiro, desde que ela seja estratégica para seus planos. Leve em conta a visibilidade do cargo, a possibilidade de estabelecer novos relacionamentos para a sua rede, de adquirir novos conhecimentos, novas experiências, novos contatos. Aja sempre com um olho bem à frente, sem desgrudar do seu objetivo maior.

Muitas vezes, migrar para uma nova área ou até mesmo para uma nova empresa pode ser um movimento tático interessante. Aceitar um novo desafio pode ser algo importante quando pensamos na tática de treliça na carreira e em movimentos ascendentes na diagonal.

Ocupação pelos flancos como tática

Imagine um grande território a ser conquistado e sua vitória com a ocupação desse espaço. Em termos militares, a avaliação de forças que entrarão em combate é vital para a consecução da estratégia. Os militares avaliam bem o poderio de cada lado e só aí traçam os planos de uma batalha.

Reflita com cuidado sobre as barreiras que você tem pela frente para traçar sua estratégia de marca pessoal. Certamente vai encontrar uma série de obstáculos, e alguns deles serão intransponíveis. O general chinês Sun Tzu, 500 anos antes de Cristo, dizia que, se houver um grande desequilíbrio de forças, isso não quer dizer que você vai perder, e sim que não deve atacar seu inimigo pela frente, mas pelos lados (pelos flancos). Seria ingenuidade atacar frontalmente uma força muito superior à sua. Sem dúvida, seria um movimento suicida. Assim, considere a hipótese de contornar esse obstáculo e atacar pelos lados. Trata-se de uma manobra tática que pode ser um deslocamento lateral estratégico. Transponha isso para a sua carreira. Qual é o grande obstáculo à sua frente? Ele é instransponível? Há possibilidade de transpor essa barreira pelas laterais? Dá para contornar?

Derrubar o oponente como manobra tática

Os lutadores de vale-tudo (uma moda que empolga os homens no mundo todo e é uma verdadeira febre no Japão, desde os anos 1990) seguem à risca essa regra. Eventos como o *Pride* no Japão lotam estádios com cerca de 50 mil pessoas para ver astros desse esporte, que chega a pagar mais de 1 milhão de dólares para o vencedor do evento principal.

Os astros de vale-tudo (boa parte composta de brasileiros) conseguiram se adaptar a diferentes modalidades de luta e tornaram-se mestres de uma nova modalidade (que é um mix de todas elas – uma forma de hifenização em que os lutadores dominam com excelência várias especializações marciais), formando uma nova casta de lutadores do mundo das artes marciais. Nos ringues, quando existe desproporção de forças, o oponente mais fraco faz o seguinte: movimenta-se o tempo todo para não virar um alvo fixo; mina as resistências do oponente (com chutes nas pernas para enfraquecê-lo); aguarda com cautela a melhor oportunidade (fugindo em círculos, se for o caso); cansa o oponente maior (que geralmente tem menor resistência física, por causa do peso); aproveita a melhor oportunidade do oponente para derrubá-lo (estudando as fraquezas do adversário e as chances que ele proporciona); leva a luta para o chão, onde a desproporção de forças fica minimizada pelo emprego de alavancas; finaliza o oponente com uma chave (usando a alavanca como princípio de força).

Tomando as lutas de vale-tudo ainda como exemplo, você vai constatar que essa tática nada mais é do que a aplicação de ataques pelos flancos para compensar a desproporção de forças: usar a paciência como arma para desestabilizar o inimigo, recuando nos momentos certos para não colocar em risco sua integridade física, e a inteligência para detectar as falhas do inimigo, descobrindo o momento certo para atacar. E, o mais incrível, vencer com golpes que utilizam a alavanca como ferramenta para uma chave. Ou seja, utilizar a força do inimigo contra o próprio inimigo.

Os princípios da guerra e a sua marca. Pense neles

Manutenção do objetivo – você precisa estar o tempo todo focado lá na frente. Posicionamento é vital na guerra e também na construção de valor para sua marca pessoal. Não importam os reveses, você manobra lateralmente, recua, dá a volta e concentra-se sempre na sua diferença de valor (a visão que quer construir lá na frente).

Segurança da ação – avalie sempre os riscos visando à preservação da integridade da sua imagem de marca e sua reputação (física e moral). Meça os riscos aos terceiros que dependem de você nesses movimentos táticos na carreira; não fique paralisado, mas não se exponha demais, avalie sempre o custo-benefício para sua marca e se você quer pagar o preço.

Mobilidade de ação – não haverá uma linha reta nessa trajetória, é preciso buscar espaços alternativos e nunca virar um alvo fixo para os inimigos de mercado. Procure espaços vazios que lhe permitam encaixe perfeito, visibilidade e longevidade para a sua marca.

Emprego do poder ofensivo – use todo o poder do seu DNA de marca para desferir golpes no inimigo e criar seu espaço de marca na mente do público-alvo. Reúna todas as suas forças (competências, habilidades, conhecimentos, virtudes, imagem) em favor do objetivo lá na frente. Exponha sempre, de forma escancarada, suas diferenças de marca e os atributos que o tornam único.

Economia de forças – uma estratégia perfeita é aquela que comete menos erros e economiza energia do seu lado. Cometer menos erros significa preparar bem seu plano de voo para alcançar o máximo com o mínimo esforço. Cometer menos erros é não dar oportunidade de vitória ao inimigo.

Concentração de forças – é o emprego da maior força possível num ponto decisivo. Esse é o princípio do posicionamento. Escolha o ponto certo e concentre-se nele com todas as forças. Jamais ataque numa frente ampla. Pelo contrário, lembre-se dos princípios de posicionamento na frente de batalha: se não tem a superioridade absoluta, você precisa encontrar a superioridade relativa, num ponto-chave, e concentrar ali todas as energias.

Surpresa – trabalhe em silêncio, movimente-se nas sombras enquanto os outros descansam, acompanhe a topologia do terreno tirando proveito de cada área, de cada situação, prepare-se o tempo todo e surpreenda com seus movimentos.

O que isso tem a ver com a minha marca pessoal?

Agora, pense estrategicamente na sua marca pessoal e na sua carreira com base nesses princípios básicos da guerra. Pense em estratégia e nas manobras táticas partindo das perguntas e reflexões a seguir. Não me olhe assim! Eu disse que você estava no meio de uma guerra.

O que você pode fazer diante dos obstáculos?

Existem coisas que você pode mudar e outras que não pode. Ponto. Mas isso não significa que tenha de abdicar dos seus planos, mas sim que não tem todas as respostas (pelo menos neste momento). O importante é saber exatamente quais são seus obstáculos e que barreiras enfrentará para concretizar seus planos. Ter esse conhecimento já implica metade da batalha ganha. Coloque tudo no papel, reflita e comece a encarar as barreiras de frente. Você vai descobrir que algumas não eram tão complexas como pensava. A melhor maneira de enfrentar um problema é imaginar a pior coisa que ele pode causar. A partir daí, você começa a pensar em hipóteses melhores e passa a buscar a solução. É terrível ficar ruminando um problema sem considerá-lo devidamente.

Contra que forças você luta neste momento?

Nesse processo, descobrirá que algumas dessas forças contrárias estão dentro de você mesmo. São suas crenças e seus paradigmas. Você precisa meditar, refletir, descobrir suas razões, seus medos e encontrar soluções. Boa parte das pessoas depara com grandes dificuldades e atribui isso ao mercado, à profissão ou ao cargo que ocupa, quando na verdade são fragilidades e inseguranças pessoais que só elas podem resolver. Tente avaliar essas forças, liste aquelas que são de foro íntimo e descubra como neutralizá-las.

Você tem inferioridade de forças para chegar lá?

Pense sob a ótica de um ataque pelos flancos, como descrevemos anteriormente. Não cogite desistir, porque tecnicamente você está em posição inferior. Avalie as alternativas, as saídas laterais, as áreas desguarnecidas. Descubra de quanto tempo precisaria para contornar esse obstáculo e quanto de energia poderia aplicar nesse esforço lateral. Lembre-se dos recuos táticos. Observe se não existe possibilidade de migrações para outras áreas, outros setores ou outras empresas menores que lhe possibilitariam esse deslocamento tático. Finja-se de morto por um tempo e prepare-se (invista em você e no seu ferramental) para um ataque-surpresa a médio prazo.

Que fragilidades precisa contornar para aumentar suas chances?

Pegue imediatamente sua lista de fragilidades (seu passivo de marca) e reflita sobre cada aspecto negativo que você listou. Veja o que pode ser considerado urgente e o que pode ser minimizado a médio prazo, sem grandes problemas. Reflita sobre cada um desses aspectos e avalie meticulosamente aqueles que podem representar a vida ou a morte para a sua marca. Avalie a dissonância entre os valores que encontra em você mesmo e aqueles que projetou para o seu DNA de marca pessoal. Quais deles podem ser trabalhados imediatamente para corrigir essa dissonância cognitiva e melhorar a percepção (o valor) na sua audiência de marca?

Quais caminhos são estratégicos
e quais podem ser armadilhas?

Lembre-se de que tudo o que você está fazendo tem um único objetivo: diferenciar e agregar valor à sua marca pessoal. Torná-la única e com mais valor é seu grande objetivo. Nunca perca essa perspectiva. Ela é seu filtro para a tomada de decisão na avaliação do que é uma oportunidade, um caminho estratégico, e o que é pura armadilha do destino para tirá-lo da sua rota.

Para ter clareza, nunca pense somente a curto prazo. Pense estrategicamente a médio e a longo prazos e avalie o significado dessa decisão na sua trajetória de marca pessoal. Pense em termos de reconhecimento da sua marca pessoal e de busca de notoriedade e reputação, e não só na visibilidade. A visibilidade a curto prazo pode ser uma armadilha para o futuro.

Avalie seus projetos pela ótica da **visibilidade** (visibilidade que pode agregar valor à sua marca, gerar novos negócios, melhorar a exposição, comunicar melhor seus atributos positivos), mas contraponha sempre pela ótica da **longevidade** da sua marca pessoal. Esses são os dois vetores a ser considerados para quem almeja o sucesso na construção de sua marca pessoal. Alta visibilidade pode gerar ganhos imediatos, mas também comprometer seus planos no futuro, se não for bem calculada.

Visibilidade boa para a sua marca é aquela que agrega valor, que o coloca no campo onde quer ser percebido, que valoriza seus melhores atributos. Visibilidade ideal é a que produz sinergia entre seus valores de marca, que reforça seu DNA de marca pessoal. Avalie bem cada movimento e abra mão daqueles que forem oportunistas demais. Descarte toda visibilidade que o distanciar do seu DNA de marca.

A armadilha da visibilidade para o umbigo

Exposições na coluna social são ótimas para o ego, mas, dependendo do ramo em que você atua, podem diminuir seu valor como profissional e comprometer sua imagem a longo prazo. Ser conhecido pela grande massa (que talvez não o interesse), pelos leitores de coluna social e pelas revistas de fofocas pode não ser nada valioso para sua marca e muitas vezes representa até um gol contra na carreira.

Pense no absurdo a que alguns profissionais têm de se submeter simplesmente para aparecer numa revista de celebridades. É patético ver algumas celebridades segurando uma enorme escova de dentes com a marca do patrocinador só para aparecer na revista (e, é claro, passar um fim de semana comendo de graça numa praia famosa cheia de outros famosos). Visibilidade alta e ego inflado, mas zero de valor agregado para a marca. Muitas vezes seria melhor manter um clima de mistério sobre a vida pessoal para evitar que as pessoas se decepcionassem com você naquele roupão ridículo à beira da piscina, naquela mesa falsa no jardim, tomando suco de laranja com a família – e todos com cara de propaganda americana de margarina!

Busque exposições com valor para a sua marca

Dar uma palestra pode ser uma ótima oportunidade, dependendo do público-alvo, da credibilidade do evento e do que a palestra significa para sua carreira. Pode ser ótimo para sua imagem e para a notoriedade da sua marca. Você pode concretizar a oportunidade de enfocar toda a sua força como especialista e conquistar o público com sua performance.

Mas, como toda ação de visibilidade envolve riscos, se você não estiver preparado o suficiente ou não for o tipo de exposição em que tem ótima performance, talvez seja muito ruim para a sua imagem. Avalie também estrategicamente o tipo de exposição que você terá e se realmente vale a pena o esforço. Se aceitar todos os convites para palestras e entrevistas, você vai virar "arroz-de-festa" e perderá o valor. Caso seja extremamente seletivo, pode perder ótimas oportunidades de exposição e tornar-se um sujeito esnobe. Avalie muito bem o que é estratégico e o que é armadilha. Isso o ajudará a se manter no caminho dos seus objetivos.

Descubra a melhor forma
para sua exposição de marca

Pense em tudo o que pode ser feito para melhorar sua exposição com valor no mercado. Pense em palestras, em escrever artigos, um livro. Pense em contribuir regularmente para uma revista do seu setor. Pense em trabalhar como voluntário numa ONG que tenha a ver com sua marca. Pense em trabalhar gratuitamente para uma entidade de classe. Pense em promover uma exposição dos seus trabalhos. Pense em se juntar a um grupo profissional. Pense no que poderia fazer na sua empresa com repercussão interna e externa. Pense em como contribuir para a cidade, para uma causa social. Pense em dar aulas. Pense em publicar uma tese. Sei lá. Muitas coisas podem ser feitas para melhorar sua exposição e agregar valor à sua imagem. Mas pense com critério. E evite a saída fácil das exposições em coquetéis e *vernissages*.

Que obstáculos são intransponíveis?
Dá para contornar?

Busque formas alternativas para deslocar-se. O segredo dos grandes estrategistas é ver o que os outros não veem. Uma grande barreira pode ser uma ótima oportunidade de refletir sobre novos caminhos. Nenhuma barreira é totalmente intransponível. E, se for, sempre haverá um caminho alternativo. Procure aprender a diferença na prática entre os verbos olhar e ver.

Reconheça as oportunidades que não estão totalmente expostas. Observe o que está além dos limites do tradicional. Pense em formas alternativas mesmo que num primeiro momento pareçam totalmente despropositadas e malucas. Ninguém que tenha conseguido grande sucesso, alta visibilidade e notoriedade trilhou os mesmos caminhos que todo mundo já tinha percorrido. Geralmente, o sucesso está associado à realização de uma forma diferente. Avalie o que é realmente barreira e o que é paradigma na sua carreira.

Quanta paciência tenho para suportar a posição atual?

Se você está numa situação de desconforto, frágil ou ameaçada pelas mudanças no mercado, pense nas alternativas a curto, médio e longo prazos. Avalie se a sua atual posição é realmente insuportável ou se você ainda consegue aproveitá-la para criar músculos e dar o salto em outra direção. Até que ponto é insuportável? Dá para buscar mais algumas doses extras de paciência enquanto traça seus planos e cria as condições necessárias para mudar o curso da sua vida.

O que você não pode é ficar perdendo tempo e esgotando suas últimas energias no controle das emoções sem fazer nada de prático para a sua virada. Se ainda tem um saldo de paciência e energia, capitalize-o para o seu novo projeto. Às vezes, somente a tomada de posição tem um efeito impressionante sobre a autoestima e o revigoramento das energias para enfrentar a atual posição.

De quanto tempo preciso para me preparar?

Você deve estar convicto de que precisa fazer mudanças, implementar projetos e pôr em prática seus movimentos. Avalie todos eles e selecione os que são mais fáceis de ser implementados e os recursos de que você necessita para isso. Aposte naqueles que dependem exclusivamente de você e que, na maioria das vezes, não exigem grandes recursos. Pense nos aspectos do seu passivo de marca (imagem) que você poderia começar ainda hoje. Pense na sua imagem pessoal e em todos os sinais da sua marca e comece a introduzir pequenas mudanças em direção aos seus objetivos maiores.

Desenhe o caminho

Pegue uma folha de papel e faça uma linha de tempo com alguns movimentos já preparados. Reflita sobre eles com uma perspectiva realista. Caso precise dominar uma nova língua estrangeira, e isso é estratégico para a consecução dos seus planos, não determine poucos meses, a não ser que seja um gênio em aprendizado. Seja realista com os prazos, mas não deixe de mencioná-los em cada meta, para não ficar solto demais e relaxar a guarda. Tenha esses prazos sempre à mão e verifique o tempo todo quanto falta para conseguir cumprir o planejado.

Desenhar essa linha de tempo é fundamental para ter a visão do todo. Isso ajuda a enxergar bem melhor a importância de cada ação a ser implementada e de cada movimento tático. Coloque na linha os pontos estratégicos assinalando as datas previstas para cada um. Pense nessa linha sob aquela ótica da treliça, que mencionamos anteriormente, unindo todos esses movimentos táticos. Reflita sobre a importância de cada um como patamares a ser conquistados para um novo movimento. Se você olhar assim, descobrirá aqueles que são realmente estratégicos para alcançar os objetivos finais. Veja a interdependência entre eles e a importância de sinergia entre os movimentos.

Que decisões preciso tomar hoje?

Todas aquelas que dizem respeito a você mesmo e à sua marca pessoal. Não deixe de relacionar nenhuma das ações que independem de terceiros ou do mercado. Pegue esses aspectos para uma tomada de decisão imediata. Não se angustie com todas as outras, aposte num conjunto realista de ações que estão em suas mãos e podem ser implementadas ainda hoje. Lembra-se de quando falávamos sobre o poder da atitude? Este não é um livro meloso de autoajuda, mas esse aspecto é vital para a realização de muitos outros movimentos. Você como marca tem prazo de validade (lembra desse papo?), e, quanto antes começar a virar o jogo, melhor para você.

Capítulo 10

arthur Bender

onstrua valor por redes de contato

Confiança e redes de contato

Na sociedade do excesso, tudo é gigante e tudo sobra. Tudo é multiplicado geometricamente. Os números são grandiosos em todas as áreas. Marcas, produtos, serviços, profissionais e mais profissionais disponíveis no mercado. Para praticamente tudo o que quisermos alugar, arrendar, comprar, contratar, há pelo menos uma dúzia de opções (se falarmos em profissionais, são centenas). Para todas elas, existem inúmeras escolhas a fazer. Todos os dias. Exaustivamente.

O seu maior desafio nesse cenário complexo (e que vai piorar – não se desespere) é obter confiança para a sua marca pessoal junto aos públicos que formam sua rede. Tudo e todos os que não conquistarem essa confiança tenderão a ser descartados no processo de seleção diária que fazemos como consumidores. E que farão conosco (comigo e com você, quer goste, quer não).

> "Nada minimamente surpreendente foi feito em isolamento. Competitividade individual = O que você sabe X Quem você conhece."
>
> **Nordström e Ridderstrale**

Fazemos isso inconscientemente, diariamente, ao comprar qualquer coisa. Tudo na vida acaba sendo uma espécie de negociação de compra e venda. A maioria das vezes, baseada em confiança. Fazemos isso o tempo todo com as coisas importantes e também com as banais do dia a dia. Escolhas e mais escolhas. Analisamos, julgamos e descartamos tudo o que pode despertar qualquer tipo de desconfiança. É mecânico e lógico assim. Simples assim.

Descartes e escolhas baseadas em confiança

Essa é a forma que o ser humano encontra para simplificar a complexidade dos dias atuais, dando sentido às suas escolhas. Buscamos marcas que proporcionem sentido, minimizem dúvidas e nos garantam um pouco de certeza num mundo de muitas incertezas e de ofertas parecidas. Isso acontece diariamente tanto na hora de comprar produtos e serviços quanto na vida profissional. Acontece na seleção de emprego; nas indicações profissionais; na seleção de empresas de consultoria; na hora de chamar um eletricista, procurar um mecânico, arquiteto, decorador, dentista; nas decisões da diretoria com relação a bônus e promoções; acontece comigo e com você. Somos julgados e avaliados o tempo todo com base na confiança de nossa marca pessoal e na segurança que transmitimos para a nossa audiência (o tempo todo).

Você pode estar se perguntando: O.k., confiança é importante, mas o que isso tem a ver com "construir redes"? Eu explico: as redes de contatos (o seu *networking*, no jargão de Recursos Humanos) são a maneira mais fácil de disseminar geometricamente (com a velocidade de uma epidemia viral) tanto confiança quanto desconfiança. Esse é o valor das redes, e sua relação com o componente depende da confiança da sua marca. Esse é o perigo das redes, se a sua marca não passar confiança. O sucesso ou o fracasso dela no mercado estará cada vez mais umbilicalmente associado à sua capacidade de gerar e disseminar confiança (ou desconfiança) na sua rede de relações. Dá para entender agora a importância das redes e o impacto no valor da sua marca pessoal?

É impossível ficar sozinho

É impossível viver no mercado corporativo em completo isolamento, quer queiramos, quer não. Lidamos com um sem-número de interfaces o dia inteiro. Interagimos e nos comunicamos o tempo todo. Dependemos de contatos diários com clientes, com fornecedores, com intermediários, com parceiros comerciais de toda ordem para nos manter ativos no mercado. No escritório, interagimos com dezenas de pessoas, independentemente do que realizamos ou da posição que ocupamos. Somos uma marca numa grande e intrincada rede de relações com outras marcas em que se nutrem, se fortalecem, se adicionam ou se subtraem valores numa espécie de interdependência orgânica.

Vivemos numa intrincada rede pessoal e profissional em que as pessoas se nutrem umas das outras para a sobrevivência coletiva no ambiente corporativo. As empresas vivem em redes externas com outras empresas no mercado. E são o resultado de redes internas de profissionais que formam uma trama consistente que as movimenta e que as faz pulsar. A qualidade dessa pulsação é diretamente proporcional à harmonia e à complementaridade de competências dos profissionais, formando um time de excelência empresarial. Se isolarmos as estrelas de uma empresa, elas não são nada. Conjugadas num ambiente que soma e multiplica competências individuais, *expertises* e habilidades, tornam-se uma malha poderosa. Uma malha pulsante, viva e ativa que leva a empresa para a frente.

Seu valor como marca depende dos outros

Se você for autônomo ou parte de um grande grupo, a lógica é a mesma. Você não existe sozinho e terá de estar preparado para viver cada vez mais como parte de um grupo, de uma comunidade. Por quê? Porque, primeiro, seu valor como marca no mercado não existe se não existirem outras marcas parecidas com a sua que possibilitem estabelecer parâmetros de valor. Esse é o primeiro ponto. Assim como sua marca não teria valor nenhum se não houvesse outras marcas que dependem da sua – e lhe atribuíssem um valor. Esse é o segundo ponto.

Isso significa que você sozinho vale uma coisa (vale X, por exemplo), mas você em rede pode ter um valor completamente diferente (pode valer 2X ou ½X), dependendo da ótica de suas relações. Por quê? Porque uma regra-chave em branding é que o valor das marcas é atribuído por quem compra. Essa é uma máxima sagrada em marcas, que vale também para o mundo profissional. Você estabelece um preço por seus serviços, mas é o mercado que determinará o valor deles. De nada adianta dominar exemplarmente algo que não tenha valor no mercado.

A qualidade da rede interfere no valor

A máxima a seguir é esta: você precisa estar mais próximo do maior número possível de pessoas e profissionais que tenham necessidade daquilo que você oferece ao mercado (sua promessa de marca). Quanto maior for sua rede e quanto mais qualificada em torno dos seus objetivos, melhor. Com isso, você aumenta exponencialmente as possibilidades de sucesso via redes de contato.

Então, a lógica toda passa a ser baseada em três importantes pontos: 1) Você vale alguma coisa sozinho, mas seu valor no mercado pode aumentar substancialmente se estiver ligado a outras marcas que precisem daquele valor de que só você dispõe, daquela complementaridade que só a sua marca pode oferecer. 2) Quanto maior e mais qualificada for sua rede de contatos, maior será sua possibilidade de ser visível e desejado, ou seja, "comprado", e também de ser "mais bem remunerado" por essa rede que depende daquilo que você oferece. 3) Estamos expostos, queiramos ou não, numa grande rede que multiplica sinais e consolida reputações baseadas em confiança.

O que é uma rede de contatos?

São as pessoas e os profissionais que reconhecem sua marca no mercado (no contato direto ou indireto, no presente ou no passado) e têm alguma percepção sobre ela. Essa rede pode ser do círculo primário – que abrange contatos mais diretos – e do círculo secundário – cujos contatos são mais esporádicos, eventuais ou antigos.

O círculo secundário inclui profissionais com quem você já manteve algum contato no passado, que se impressionaram com você de alguma forma e o reconhecem como marca, atribuindo-lhe valor. Também abrange profissionais com os quais você mantém contatos mais esporádicos, sem grande profundidade, mas que mesmo assim sabem quem é você e conhecem sua imagem de marca.

O círculo primário compreende os contatos mais diretos e mais ativos, que têm uma relação mais intensa, contínua e direta com você e com sua marca no mercado e o reconhecem como profissional e como marca, atribuindo-lhe algum valor. São pessoas que dependem de você diretamente no dia a dia de trabalho (seus subordinados, superiores, colegas). São os profissionais que estão ao seu lado, no mesmo ambiente, tanto acima como abaixo na hierarquia. Trabalham em outras empresas ou entidades que compartilham os mesmos ideais e projetos. São seus colegas de universidade, de cursos de extensão. São os fornecedores com quem mantém negócios diários. São os clientes que conhecem profundamente suas habilidades e competências. São seus amigos pessoais ou profissionais mais próximos, que o reconhecem como marca e têm opinião sobre ela no mercado.

As redes são vivas e dinâmicas

As redes são vivas e dinâmicas porque podem contar com inúmeros desdobramentos e ramificações em áreas sobre as quais você não detém nenhum controle e por isso não tem como avaliá-las. São os amigos dos amigos dos seus amigos, os contatos (que você não conhece ainda) dos seus contatos mais distantes. São as relações dos seus clientes e fornecedores que não têm nenhuma ligação com o seu território. São as relações que estão fora do seu alcance.

A dinâmica dessa rede é incontrolável. Ela cresce e decresce conforme a própria dinâmica do mercado, as características do segmento em que você atua ou a abrangência do seu trabalho de visibilidade de marca. Estende-se ou encolhe, qualifica-se ou enfraquece também de forma incontrolável, porque é formada por pessoas movidas pela necessidade de mais ou de menos contatos.

Você não tem o controle da rede

Você nunca terá controle sobre ela, assim como nenhuma marca do mundo corporativo terá algum controle sobre a dinâmica da sua base de clientes. Também nunca conseguirá dimensionar com precisão seu tamanho, sua consistência ou formação total. Da mesma forma que você nunca terá controle sobre sua reputação de marca nessa rede dinâmica de profissionais, pois a liga que dá consistência a tudo isso é baseada em percepções. Não é objetiva, nem cartesiana, muito menos segue alguma lógica.

O que você precisa saber
sobre a influência das redes

Essa influência existe, e nela reside boa parte das impressões que podem fazer seu valor como marca flutuar livremente. Ou seja, ele pode ser alavancado, estagnado ou depreciado. E isso gera um grande impacto sobre sua carreira, seu poder de negociação, seu grau de confiança e sua reputação no mercado.

O que é importante (eu diria vital) você compreender sobre redes de contatos é que seu valor como marca é determinado por esse grupo de pessoas e profissionais cuja percepção você não pode controlar totalmente. O único poder que você tem é o de gerenciar a qualidade dos seus sinais de marca, que serão determinantes para criar uma percepção nessa plataforma. Ou seja, em última instância, você, e só você, é o responsável pela qualidade dos sinais que emite e que serão disseminados com ou sem o seu consentimento nessa rede dinâmica de contatos. Assim, sua responsabilidade aumenta com a ideia de ter o controle da sua identidade de marca, e essa identidade é a fonte dos sinais que determinarão sua imagem e sua percepção no mercado, bem como sua reputação e seu valor de marca.

Resumindo: você não tem controle total sobre como as coisas serão percebidas, mas pode controlar seus sinais e com isso consegue gerenciar e alterar a percepção da sua marca na rede de contatos. O controle dos sinais é possível. A exposição é inevitável.

É impossível fugir da exposição

Se até bem pouco tempo atrás tínhamos dificuldade de obter informações sobre pessoas e profissionais, hoje a situação é inversa: estamos todos expostos a um sem-número de possibilidades de investigação sob diversos ângulos. A plataforma de possibilidades é infinita quando se pensa na web. Se digitar seu nome numa ferramenta como o Google ou em qualquer outro site de busca, pode desvendar boa parte do que **você é, do que foi ou do que tenta ser**. E é aí que a coisa aperta! É tudo muito público, muito exposto. É tudo muito envidraçado, transparente. Não há como fugir. Não há como se esconder. Você está nu!

Você está nu!

Não se desespere. Isso acontece com você, comigo e com todo mundo em qualquer ponto do planeta. Você agora pode ser visto o tempo todo, e sua marca e sua reputação ficam cada vez mais expostas. Duvida?

Quando você sai de casa e passa pelo cruzamento, seu carro está sendo filmado e as imagens ficam disponíveis. Ao ver sua placa, alguém pode entrar no site da empresa de trânsito e ver suas multas e como você é bom ou mau motorista. Ao entrar no prédio do seu cliente e deixar o número do seu RG, sua imagem fica arquivada digitalmente. É possível descobrir quantas vezes você vai lá, em que horários e com quem fala. Ao tomar o elevador (você se olha no espelho, ajeita o cabelo, observa se os dentes estão limpos e faz caretas), sua imagem está sendo gravada (e pode virar um filminho engraçado no YouTube e ser motivo de piada nos cinco continentes em questão de minutos). Nos corredores, você está sendo filmado. É possível ver em que sala entrou, se levava uma mala e saiu sem nada. Pode-se ver e gravar o que você tinha nas mãos. Nas salas de reuniões, talvez esteja sendo filmado. O celular de alguém pode gravar e filmar (muito cuidado com o que diz quando acha que está numa sala sozinho com alguém). A declaração que você deu ontem à noite àqueles jornalistas chatos está disponível numa das páginas do Google. O telefonema secreto de quarta à tarde para fechar aquele negócio com o seu amigo fornecedor pode ter sido gravado e seu diálogo aparecer, de repente, em cadeia nacional. Seus e-mails podem ser acessados pela empresa e também pelos concorrentes. No aeroporto, você está sendo filmado. Na entrada da sala de embarque, sua pasta passa no raio-X e é desvendada em todos os detalhes. No avião, você deixa o nome e o número da identidade. A palestra que deu naquela universidade lá no fim do mundo (da qual achava que ninguém iria ficar sabendo) também está disponível para fazer download nas páginas do Google. Seu currículo e suas fotos podem estar no Google neste momento. Assim como suas fotos ridículas no churrasco da empresa no ano passado, com aquelas cenas i-n-a-c-r-e-d-i-t-á-v-e-i-s (que você jura que não existiram), podem ter ido parar no Orkut de alguém. Enfim. Não há como escapar. Estamos todos nus. Você está com a reputação exposta. Eu também. Estamos todos expostos. Não há mais saída.

Para o bem e para o mal

A lógica funciona para as duas coisas: para o bem e para o mal. Estar exposto significa estar infinitamente mais visível do que antes. Isso talvez seja uma oportunidade incrível para alavancar seu valor como marca no mercado – multiplicando geometricamente sua exposição no ciberespaço. Mas também pode representar sua morte profissional por pequenos e grandes delitos, por pequenas e grandes fraquezas – agora expostas – que passariam despercebidas até alguns dias atrás. Por esse motivo, a reputação é decisiva quando se vive em redes e se sabe o poder que elas têm de disseminar informações. De disseminar e deixar expostos seus sinais. Sejam eles quais forem.

Sexo na praia

Muita gente se divertiu com o filminho da modelo Daniela Cicarelli transando com o namorado numa praia da Europa. O filme, feito por um paparazzo, foi posto no YouTube e visto por milhares de pessoas em poucos dias. O vídeo, que foi motivo de processo judicial contra o Google, acabou alcançando mais repercussão depois disso. Quem ainda não tinha visto quis ver, após a polêmica na internet, que ganhou as páginas de revistas e jornais. Vários contratos de publicidade foram cancelados por causa desse deslize público/privado da modelo (problema menor), e a imagem dela pode ter sido arranhada para sempre por esse fato (problema maior). Esse é o risco da era envidraçada. Você está exposto mesmo quando acredita que ninguém está vendo.

A Cicarelli e você

Você pode argumentar que não é conhecido como a Cicarelli e que ninguém se interessaria em filmá-lo na praia. Grande engano! Você está sendo filmado neste momento em algum lugar. Está sendo filmado a todo instante. Deixa rastros o tempo todo – rastros digitais, provas digitais, imagens, áudio, textos. Queira ou não, goste ou não, você – assim como a Daniela Cicarelli – está exposto. E o que está em jogo é sua reputação.

O que acontece agora é um *Big Brother* ao contrário: todos estamos livres, mas somos vigiados por qualquer anônimo com uma câmera na mão. Isso pode lhe proporcionar exposição mundial na internet num piscar de olhos, o que o tornará célebre por suas virtudes ou por seus deslizes. Você pode ser desmascarado pelo concorrente poderoso ou pelo guarda que vigia a câmera de circuito fechado do prédio. Não é o grande irmão estatal que o vigia e o controla, mas o anônimo – com uma câmera e sua imagem na mão –, que hoje detém igual poder.

Como descreve o jornalista Mário Rosa no livro *A reputação*, o escândalo que abalou a República em 2005 – e derrubou ministros, descortinou práticas nebulosas de financiamento de campanhas, escancarou as entranhas obscuras do poder, quase derrubou o governo e paralisou o Brasil por meses e meses – nasceu de uma gravação secreta em vídeo feita por um fornecedor durante o pagamento de propina a um funcionário de quinto escalão dos Correios numa sala fechada. A imagem tornou-se símbolo de um dos maiores escândalos do Brasil. E lembre-se, mais uma vez: numa era envidraçada, em que você está sempre exposto, seus riscos aumentam exponencialmente – na mesma proporção que suas possibilidades de se tornar mais visível. Mário Rosa faz a seguinte consideração: "O funcionário não percebeu, mas todos estávamos lá, através da lente da tecnologia. A cena mostra que, se não dá mais para errar como antes, dá para imaginar então o tamanho do desafio para aqueles que querem acertar". É isso.

O papel das redes na construção de valor de sua marca

Da mesma forma que as redes podem deixá-lo muito mais exposto, elas contribuem para agregar valor à sua marca por meio de parcerias e conexões. Repito a frase que abre este capítulo: "Nada minimamente surpreendente foi feito em isolamento". Isso significa que cada vez mais temos a possibilidade de estabelecer parcerias e potencializar nossos negócios complementando e interagindo em redes de contatos. Elas representam uma fonte inesgotável de possibilidades de troca entre profissionais que querem potencializar seu valor de marca no mercado: são empresas, profissionais, departamentos, clientes, fornecedores, amigos e *experts* que podem preencher lacunas de suas competências.

Pense em projetos compartilhados com a rede de contatos

Avalie a possibilidade de realizar projetos compartilhados com outros profissionais com o objetivo de complementar e multiplicar o valor do conjunto. Procure amigos que dominem uma área que você desconhece ou em que é mais frágil e que possam somar competências para vencer uma barreira da sua área. Pense numa empresa parceira que domina uma tecnologia que pode fazer toda a diferença naquele seu projeto inovador. Pense naquele cliente que trabalha com excelência num segmento correlato ao seu e que pode ser a solução para o seu problema de mercado. Pense naquela universidade que é um centro de excelência em conhecimentos revolucionários para o seu negócio. Pense nos amigos que têm relações importantes e nos contatos que seriam fundamentais para a expansão do seu projeto. Pense em empresas, fornecedores, organizações, amigos, clientes e contatos que lhe permitirão somar, multiplicar e explorar o que há de mais valioso nas suas competências.

Construa e mantenha sua rede ativa

Para poder se valer desse potencial em redes, é imprescindível que você se torne um construtor e ativista de redes. Nesse processo, alguns pontos são fundamentais:

Personal Branding

Primeiro: construa sua rede de contatos com base nas suas movimentações de mercado. Para isso, saia do isolamento e esteja disponível para ser encontrado. Abra sempre novas frentes em diferentes campos. Não se restrinja ao seu segmento. Busque novos contatos em todas as áreas. Quanto mais ampla e qualificada for essa rede, melhor. Assim você diversifica pontos de vista, enxerga melhor outras oportunidades, conhece pessoas, profissionais, explora novos territórios, aprende novos conceitos e ferramentas, outras complexidades que farão entender melhor as suas.

Segundo: seja um ativista de redes. Conhecer gente é muito bom. Temos oportunidades o tempo todo nos seminários, nas entidades de classe, nas escolas de negócios, na universidade, no trabalho diário, no contato com fornecedores, em congressos, em viagens. Mas de nada adianta colecionar cartões, telefones e e-mails se não os ativar. Você precisa alimentar essa rede, nutri-la e mantê-la viva, de forma dinâmica. Para isso, deve manter contatos constantes e estar disponível, o que implica algum sacrifício além de disponibilidade. É uma troca que mantém as relações saudáveis. Você dá primeiro e ganha crédito depois. Você troca, e assim se disponibiliza e alimenta a relação.

O grande engano em relação às redes de contatos é achar que você sempre ganhará sem dar muito em troca. A coisa não funciona assim. Pelo contrário, acredito que a gente deve dar muito mais do que recebe. Não sei. Acredito nisso. Pode ser ingênuo pensar dessa forma, mas prefiro isso a ser um daqueles contatos que só pedem e nunca estão disponíveis para uma contrapartida. Chamo esses de amigos das horas boas. São pessoas que, toda vez que lhe telefonam, só sabem fazer pedidos e nunca dão nada em troca.

Fuja do oportunismo

Analise como quiser. Pode levar até para o lado espiritual: quanto mais der, mais receberá em troca. Tudo o que der receberá multiplicado. Se oferecer com amor, respeito e dedicação, receberá cortesia, afeto e respeito. Piegas? Romântico? Pode ser. Encare como quiser, desde que não crie na sua rede de relações a imagem de chato pedinte oportunista. O que, de novo, impacta na sua imagem e na sua reputação na rede de contatos. A pior coisa em *networking* é o oportunismo descarado, mesmo considerando que estamos numa rede de contatos profissionais. Fuja do oportunismo. Estabeleça laços sempre pensando em perpetuação. O oportunista nas redes pensa de forma imediatista. Quer tirar o máximo proveito de você quanto antes, sugar-lhe tudo o que puder, ganhar o máximo da forma mais rápida possível. Um novo contato não significa necessariamente um negócio hoje. Pode não representar nada no presente e mesmo assim ser crucial para sua rede. Pense em termos futuros. Pense sempre em perpetuação de valor.

Encare as redes como plataformas de contatos e agentes de construção e disseminação de valor da sua marca. E, quando se pensa em construção de valor de marca, temos de pensar sempre a médio e longo prazos. Construa redes sempre pensando em perpetuação de valor. A longo prazo.

Se você for oportunista nesses contatos, terá uma rede frágil, tão oportunista quanto você. E sabe o que acontece com redes de contatos oportunistas? Esses "amigos" sempre terão alguém que oferece um pouquinho mais que você num determinado momento da vida. Se as relações forem oportunistas e baseadas em ganhos imediatos, nunca haverá respeito e lealdade, e quando você mais precisar de ajuda não terá ninguém com quem contar. Sabe por quê? Porque eles imaginarão que você não tem nada para dar em troca nesse momento. Então lhe virarão as costas.

Viver em redes e ser um ativista implica estar disponível, ser voluntário em algum momento, trabalhar de graça às vezes, doar-se um pouco aos outros, saber atender a um pedido e às pessoas, perder algum dinheiro, dar respostas, trocar, dividir, compartilhar. O que não se pode esquecer é que as redes de contato são uma trama viva e dinâmica de profissionais e empresas que detêm o controle e os mecanismos tanto da sua exposição quanto da sua reputação. O que não é pouco quando se pensa em gerenciamento de marca pessoal, valor na carreira e futuro.

Pense em redes como plataformas de conhecimento

Você ficaria surpreso com a vastidão de conhecimento disponível para você em termos de redes de contatos. São pessoas que conhecem muito bem alguns segmentos que você mal conhece; dominam novas tecnologias que sempre foram difíceis para você; têm habilidades que você nunca terá; dominam conceitos que estão muito distantes da sua realidade hoje e que poderão ser cruciais no futuro.

Se você interagir com respeito e compartilhar o que sabe e domina, certamente receberá de volta muita coisa. A rede se tornará uma plataforma de trocas mútuas e dinâmicas de conhecimento, habilidades e experiências em que todos aprendem, todos crescem e todos ficam melhores.

Pense em redes como plataformas de benchmarking

As redes também podem funcionar como poderosos indicadores de performance para seu crescimento. As empresas inspiram-se em modelos distantes que servem de referência para melhorar suas práticas e modelos. Chamamos isso de "estabelecer *benchmarkings*". São referências que fazem as empresas se mexer, melhorar suas práticas para conquistar padrões muito elevados. Benchmarking é referência de mercado. É o modelo a ser buscado.

Em personal branding, os benchmarkings funcionam da mesma forma. São referências de pessoas e profissionais com alta performance que servem de balizadores, de metas e desafios a ser alcançados.

E qual é a importância disso? Pense bem. Você não é bom em tudo. Eu não sou. Ninguém é. E todos nós precisamos de referências que nos motivem a buscar mais, a aprender mais, a sempre melhorar mais. Precisamos de referências de modelos que nos façam sonhar e nos motivem a ter melhor desempenho, enfim, que nos livrem da acomodação com a realidade atual.

Pense em redes como uma grande plataforma de benchmarkings disponível para você. pessoas e profissionais inspiradores que consigam obter performances acima da média e muito acima de você. Que sejam seus exemplos nas áreas em que ainda não é tão bem-sucedido. Que sejam estrelas nas áreas em que você ainda engatinha. Que façam diferença nos seus mercados. Que sejam referências em habilidades que você não tem. Estrelas que possam lhe fornecer os mecanismos e as ferramentas para se qualificar mais, para ajudá-lo a crescer.

Estabeleça espelhos para se enxergar

Descubra na sua rede de contatos qual é a pessoa com o maior índice de motivação. Compare-a com você. Veja como ela procede. Estude seus hábitos. Observe como ela encara desafios, como reage às situações de estresse e pressão, que mecanismos emprega para se manter motivada. Agora compare-a de novo com você. Veja-se nesse espelho. Confira e analise quais são suas deficiências perante esse modelo. Copie alguma coisa, se necessário. Lembre-se dela e de seus mecanismos nas horas difíceis. Assim, ela passará a ser sua referência em motivação. Se não possuir outras qualidades, não faz mal. Você se concentra nessa característica e estabelece um ranking para você. Um espelho nessa área.

Agora descubra outra referência na sua rede de contatos. Um profissional que seja referência em desempenho no segmento, que tenha a mais alta performance, seja imbatível no seu setor naquilo que faz. A estrela. A referência. Faça a mesma coisa. Estude minuciosamente esse profissional. Aproxime-se dele. Tente aprender com ele. Investigue como ele se prepara. Descubra o que ele faz de diferente e como faz para conseguir tamanho desempenho. Compare-se de novo. Avalie a distância que você tem desse modelo. Analise minuciosamente o que lhe falta para conseguir se aproximar em resultados e, quem sabe, superar esse padrão. Defina essa pessoa como seu modelo de desempenho, a ser conquistado e superado.

Escolha outra agora que seja seu exemplo maior de integridade e ética nos negócios. Selecione outra para inspirá-lo em conhecimento técnico, em poder de negociação e assim por diante. Você pode identificar quantos modelos forem necessários, dependendo da sua área de atuação, do seu segmento e do seu mercado. Mas estabeleça esses padrões. Isso vai torná-lo mais realista em relação à sua performance atual e mais crítico com seus objetivos. E o deixará com metas claras para melhorar e crescer profissionalmente.

Pense em redes como pontos de experiências da marca

As marcas no mundo corporativo são o resultado de experiências com os consumidores. Tudo o que fazemos no marketing gira em torno da ideia de construir e gerir experiências valiosas para os consumidores. Os produtos se vão, os serviços terminam, as experiências permanecem. Pense dessa forma quando se tratar do gerenciamento de sua marca pessoal na sua rede de contatos. Que experiências está proporcionando? Que resíduos deixa de cada contato diário? Você tem pensado nisso? Não? Então é bom começar, porque você é hoje o resultado dessas experiências.

Não pensamos muito, só reagimos

A gente acaba não pensando muito nisso e não se dá conta do enorme impacto das nossas trocas e interações diárias em redes de contatos internas e externas, como um ataque histérico numa reunião interna por um motivo fútil, uma grosseria sem sentido com um fornecedor, uma discussão inútil e agressiva com um cliente. E as coisas vão ao sabor da tensão de cada momento. Mas em cada um desses contatos diários (bons e ruins) deixamos uma impressão, uma marca, criamos uma experiência.

arthur Bendée

Relembre o passado

Tente recordar quantas experiências memoráveis ficaram gravadas na sua mente no mundo profissional nos últimos dez anos. Faça uma reflexão agora e observe quantas experiências lhe vêm à mente nessa viagem rápida ao passado profissional. Se for como a maioria dos seres humanos (eu espero), você terá arquivado as experiências mais fortes (as muito ruins, as dramáticas e as mais desagradáveis, assim como as muito boas, as ótimas) e terá dificuldade de se lembrar daquela festa monótona da empresa em 2002. Nosso cérebro, por uma questão de gerenciamento de espaço no "disco rígido" (para você entender melhor), seleciona e arquiva somente aquilo que é mais marcante, as emoções mais fortes, e deleta ou minimiza boa parte do resto — que foi meio, digamos, normal.

Então você se lembra claramente do dia em que foi convocado à sala da diretoria e demitido depois de três horas de humilhação, num falatório interminável sobre os seus pontos fracos. Você se lembra da imagem do diretor que lhe proporcionou essa experiência, da sala da diretoria nos mínimos detalhes, do que havia sobre a mesa, das palavras ditas, uma a uma, das frases mais fortes, do rosto da secretária quando você abriu a porta sentindo-se um trapo humano, da sua vaga na garagem, da cara do porteiro despedindo-se de você. Você não se esquece. A cena está toda lá. A experiência está registrada para sempre. Anos depois, você o reencontra numa festa empresarial e a imagem da cena vem completamente à tona. Você relembra palavra por palavra. Ele não. Nem se lembra mais de você.

Você se recorda também daquela festa da sua associação, quando ganhou o prêmio de melhor profissional do ano. Tudo lhe vem nos mínimos detalhes: o pessoal todo o abraçando na festa, a comemoração, as flores no dia seguinte, o assédio dos colegas, as palavras calorosas que ouviu, os e-mails de agradecimento, você no palco empunhando o troféu, a ovação do público, a alegria imensa dessa experiência. Você guarda na memória cada minúcia.

Você se lembra com perfeição daquela reunião em que, acreditando estar na frente de uma pessoa séria, abriu seu coração e foi traído de uma forma baixa e vil. Assim como se lembra daquele seu cliente que, quando você esperava uma reação terrível e drástica porque tudo estava perdido, foi gentil e humano com você e lhe deu uma nova chance. Você nunca vai se esquecer dele e dessa experiência.

Você se recorda do seu melhor professor no MBA que fez há dez ou 15 anos. Foi ele que o levou a mudar boa parte dos seus conceitos. Você prendia a respiração na aula dele para não perder nenhum detalhe, nenhum conceito. Lembra-se claramente da primeira aula dele, da roupa que estava vestindo, da frase que ficou gravada para sempre na sua memória, da experiência inesquecível que ele lhe proporcionou. Da mesma forma que não esquece seu pior professor. Aquele que foi sua maior decepção no curso. É inacreditável que uma instituição respeitável como aquela tenha empregado uma pessoa como ele para dar aulas. Você talvez até recorde o nome dele, mas se esqueceu dos outros dez ou 12 professores que foram normais durante os 18 meses da especialização. Você registra os extremos, as experiências mais fortes, as experiências marcantes.

Agora pense nas experiências que você proporciona

O sujeito que o despediu aos gritos dez anos atrás talvez nem se lembre mais dessa cena (que pode ter sido corriqueira para ele em seu trabalho de contratar e despedir gente) ou de você. A grosseria feita na reunião de diretoria talvez tenha se apagado rapidamente da memória dele. Mas você registrou essa impressão para sempre. Os ataques daquela diretora contra você (que o fizeram chorar no banheiro feito criança e odiar a empresa) talvez tenham sido fruto de um período ruim para ela. Ela esqueceu. Nem se lembra mais. Mas a experiência ficou impregnada em você para sempre e lhe forneceu uma impressão muito forte da autora.

Em última instância, somos o fruto dessas experiências diárias. Nossa carreira é o resultado dessa soma de experiências (boas e ruins) que acontecem com todo mundo. E, como marca pessoal, somos o resultado das experiências que proporcionamos aos outros. A cada uma delas fornecemos mais um elemento para a imagem que carregamos, damos mais uma pincelada no nosso autorretrato chamado marca pessoal. E de experiência em experiência forjamos nossa reputação, que será disseminada (como vírus) nessa rede de contatos. E aí? Como vão suas experiências? Já deu aqueles gritos com sua equipe na reunião?

Você é o resultado das experiências que proporciona

No mundo das marcas corporativas, cada vez mais o marketing estará voltado para construir experiências valiosas para seu público com o objetivo de gerar valor e lealdade para elas. No âmbito do gerenciamento de marca pessoal, a coisa não será diferente. Você será avaliado na proporção das experiências valiosas e memoráveis (boas e ruins) que produz todos os dias em seus contatos (sejam importantes para você ou não).

Se você pensar estrategicamente, a longo prazo, deve considerar duas coisas vitais para a sua marca pessoal: geração de valor e lealdade da rede de contatos. E refletir sobre o impacto que suas experiências têm em seu futuro como resultado dessas pequenas e grandes ações que fazem parte do seu dia a dia e que, queira ou não, constroem sua imagem, sua marca pessoal, ou seja, o que você realmente é no mercado. Assim, não esqueça jamais: VOCÊ É O RESULTADO DAS EXPERIÊNCIAS QUE PROPORCIONA.

Redes, posições e a lei dos retornos

Para concluir essa reflexão sobre redes de contatos e marcas pessoais, consideremos aqui mais um último aspecto. As redes são malhas vivas e dinâmicas que estão sujeitas a trocas de posição e retornos. Isso significa que as redes são formadas por pessoas e profissionais e que por isso são afetadas pela dinâmica do mercado e das flutuações naturais das posições. Ou seja, assim como hoje você pode ser o poderoso do sexto andar, com direito a sala de mogno com sofá inglês, garçom e secretária bilíngue, amanhã pode ser um consultor a visitar o sexto andar com uma proposta na mão à espera de ser atendido. Pode ser autônomo hoje e depois virar executivo de um grande grupo. Pode ser cliente e tornar-se fornecedor. De sócio, transformar-se em fornecedor externo e depender de seus antigos sócios. Pode ser parceiro e colaborador externo e amanhã virar sócio. E aquele cliente pode ser seu empregador no futuro. O mercado é vivo e dinâmico. As redes também o são. Mas as impressões ficam para sempre, não importa sua posição hoje. Pense nisso.

Capítulo 11

arthur *Bender*

ez leis que determinam a vida ou a morte para a sua marca pessoal

Para ter sucesso, devemos parar de ser tão normais. Se nos portarmos como todos os outros, veremos as mesmas coisas, chegaremos às mesmas ideias e desenvolveremos produtos ou serviços idênticos. Quando muito, a produção normal levará a resultados normais. Em um mundo em que o vencedor leva tudo, normal é igual a nada. Mas, se estamos dispostos a assumir um pequeno risco, a quebrar uma regra ínfima, a desrespeitar umas poucas normas, há pelo menos uma chance teórica de que chegaremos a algo diferente, realmente conseguiremos um nicho, criaremos um monopólio de curto prazo e ganharemos um pouco de dinheiro.

Kjell A. Nordström e Jonas Ridderstrale – *Funky Business*

Lei número 1: O valor está na diferença

Os iguais não têm valor. Se você se diferencia, ganha valor; se você se iguala, vira mediano. Em diferentes capítulos deste livro você encontrou esta afirmação, que é uma das mais importantes em personal branding. Em estratégia de marcas corporativas, tudo o que se faz (no P&D, no marketing e na comunicação) é com um único objetivo: diferenciar as marcas e acrescentar-lhes algo de único que possa ter valor no mercado. Essa é uma lei vital para marcas corporativas e para marcas pessoais. E esse ponto é fundamental em personal branding por ser extremamente complexo na conceituação, na aplicação e no gerenciamento de marcas pessoais.

No mercado corporativo das marcas de produtos e serviços, isso não é nada fácil, mas não chega a ser uma barreira intransponível. Na verdade, esse é o grande valor do marketing: criar sempre uma diferença de valor para vender mais produtos e serviços que talvez sem o apelo do marketing jamais fossem comprados. Se refletirmos sobre nossas necessidades essenciais como ser humano, ficaremos perplexos com a enormidade de itens que fazem parte da vida "moderna" e que muitas vezes não acrescentam absolutamente nada de novo ou são futilidades totalmente dispensáveis, mas que compramos.

No mundo do marketing corporativo, sempre é possível olhar a marca por um novo ângulo e criar um apelo diferente para encaixá-la numa nova onda, acrescentar-lhe um componente para dar impulso às vendas, alterar a embalagem e construir uma nova percepção na gôndola, valorizar um benefício funcional, dar novo uso à marca etc. Esse movimento é possível e bastante corriqueiro no gerenciamento de uma marca corporativa. No mundo do personal branding, não.

Vivemos numa sociedade que tem extrema necessidade de buscar o novo, o diferente, mas as pessoas continuam querendo ser iguais às outras em tribos de afinidades. Se você prestar atenção nos grupos da geração Y, vai perceber isso com maior clareza: dezenas de tribos convivem dentro do mesmo rótulo genérico de jovens. E são tribos totalmente diferentes umas das outras, mas com integrantes absolutamente iguais. Os mesmos maneirismos, o mesmo gestual, vestidos da mesma forma, com marcas de roupa iguais, o mesmo corte de cabelo, a mesma linguagem, escutando as mesmas músicas, frequentando os mesmos lugares.

Ou seja, vivemos o paradoxo da busca desesperada por ser diferente (procurar uma tribo diferente em que possamos nos encaixar) e, quando conseguimos, passamos a integrar um grupo de iguais. Abdicamos da diferença individual pela afirmação da diferença coletiva num grupo desses.

Não se limite aos jovens: se percorrer outras idades, vai constatar a mesma coisa. Nas categorias profissionais, o resultado é igual. Os médicos compõem uma casta diferente desde os bancos da faculdade. Assim que passam no vestibular, formam um grupo coeso nesse aspecto, mesmo que tenham idades diferentes e pertençam a classes sociais distintas. Fazem questão de se afirmar no grupo, distanciam-se dos demais cursos e passam a representar o conceito do grupo que se reafirma a cada nova geração.

Pense agora nos arquitetos, nos publicitários, nos jornalistas. Esses grupos se manterão coerentes a esse estereótipo e, contraditoriamente, vão lutar para estabelecer alguma diferença pessoal e conquistar um lugar ao sol no mercado. O problema da diferença de valor nas marcas pessoais está aí. Com tantos profissionais iguais no mercado (e nós como consumidores), não conseguimos distinguir ninguém e passamos a igualá-los, buscando outras formas de julgamento de valor. Médicos passam a ser todos iguais. Jornalista tem cara de jornalista, arquiteto tem cara e jeito de arquiteto (até na caligrafia). E quem eu escolho?

Precisamos praticar um movimento de individuação, do qual falava Jung. Trata-se de um movimento de introspecção em busca da individualidade, das diferenças pessoais que o tornam único, tanto como profissional quanto como marca. Você precisa ser diferente e fazer com que os outros percebam essa diferença.

Crie a sua diferença de valor de marca. Aposte no conceito da distinguibilidade (características únicas da sua marca) e construa uma posição em que o mercado veja o grupo ao qual pertence e consiga diferenciar você dentro dele. A reflexão a fazer é que existem arquitetos, mas deve existir só o arquiteto você. Existem advogados, mas deve existir só o advogado você. Existem publicitários e existe você. A saturação do mercado num mundo complexo com muitas escolhas nos obriga a entrar de cabeça num processo de fazer descartes o tempo todo (como explica Mário Rosa em seu livro *A reputação*). Nesse processo diário, relegamos os iguais a uma decisão de preço baixo. Para fazer escolhas, precisamos estar amparados em algo que justifique nossa decisão. Confiança e reputação são duas coisas vitais para que possamos oferecer aos outros a possibilidade de nos escolherem.

Essa **é a lei número 1 em personal branding: o valor está na diferença**. É o primeiro degrau na construção de uma marca corporativa e uma questão de vida ou morte para sua marca pessoal. A não ser que você queira ser vendido como genérico. Você quer?

Lei número 2: Ser tudo é não ser nada

Não é concebível ser bom em tudo. O cérebro não é capaz de interpretar e juntar coisas antagônicas. Por não conseguirmos crer nelas, nós as rejeitamos, mesmo que isso não passe intencionalmente por um processo racional e lógico. Você acreditaria numa Ferrari com preço de carro popular? Perderia tempo em buscar mais informações sobre uma oferta dessas? Certamente diria: isso não é verdade, é uma brincadeira de alguém ou um golpe muito mal articulado. Então viraria rapidamente a folha do jornal e 15 segundos depois nem se lembraria mais dessa oferta. Seu cérebro nem registraria essa informação. Ela não tem credibilidade para nós nem para nosso padrão de consumo no mercado.

Você acreditaria se lesse um anúncio de venda de um apartamento de 500 metros quadrados por preço de quitinete? Essa proposta estapafúrdia o levaria imediatamente a pensar: há alguma coisa errada aí. É simples assim. Não se pode vender a promessa de benefícios de alta performance, alta qualidade e sofisticação com preço de produto popular. Não é lógico. O consumidor tende a pensar de uma forma muito simples: se há realmente muita qualidade nesse produto, ele precisa custar um pouco mais caro do que os similares. Isso é lógico.

Você não pode, como profissional, vender coisas completamente diferentes. A construção da sua marca precisa estar em sintonia com essa lei. Ou você é uma coisa ou é outra. Não tente ser tudo. Escolha algo que domine muito bem e concentre-se nesse ponto com toda a energia. Selecione um aspecto da sua imagem de marca e firme posição aí. Escolha um benefício diferente dos outros e dirija seu foco a ele com todas as suas forças. O que não é possível é querer que as pessoas à sua volta acreditem que você é muito bom em tudo, porque isso vai parecer contraditório e confuso para elas.

Construa um monopólio temporário sobre uma característica única da sua marca que só você tenha. Reflita sobre o conjunto da sua marca, englobando conhecimentos, capacidades, virtudes, domínio de funções, habilidades, DNA de marca percebido pela audiência, imagem, e veja em que pode ser criada a sua diferença. Da forma mais simples possível, fácil de ser lembrada e reconhecida, mas memorável.

É melhor vender uma diferença para cem pessoas do que dez diferenças para cem pessoas. O cérebro não resiste a tanta informação. Infelizmente, ainda não funcionamos em banda larga, e somos bombardeados por milhares de outros impactos de marca desde a hora em que acordamos até o momento de dormir. Ninguém conseguirá lembrar que você é isso, isso, isso, isso, isso e mais isso. O que você é mesmo? Desculpe, mas esqueci seu nome de novo.

Você precisa representar alguma coisa na mente da audiência. O quê? Só você pode dizer. Mas não se esqueça dessa lei. Se deixar as coisas contraditórias no que diz respeito aos seus benefícios de marca e confusas em relação à sua imagem, é melhor ter um preço bem baratinho.

Lei número 3: Cultive um defeito

Por favor, não se assuste com essa recomendação. As pessoas tendem a não se apaixonar por quem não tem nenhum defeito. Acredita? Pode parecer estranho, mas é a mais pura verdade. Quando você parece certinho demais, cria uma aura de "plastificado, construído, industrializado". Ou seja, não é normal ser perfeito. A diferença entre as marcas corporativas e as marcas pessoais reside aí, na possibilidade de construir uma posição diferenciada e com valor com base em uma série de qualidades e pelo menos um defeito. Não se assuste com essa proposta. Não quero que você cultive um grande defeito, peço apenas que não concentre toda a sua energia num DNA de marca que não tenha credibilidade.

A diferença entre nós e as marcas corporativas é que conseguimos trabalhar a "capacidade de gostar" da nossa marca pessoal com muito mais intensidade do que as marcas de produtos e serviços. Isso pode parecer óbvio (já que você não é uma caixa de sabão em pó), mas a consideração é necessária, desculpe. Nossa intensidade nas relações, nosso poder pessoal, nossa atração como pessoas acrescentam componentes altamente subjetivos à marca pessoal, e aí reside o mistério da paixão, da fascinação e da idolatria por algumas celebridades que têm uma legião de adoradores.

Nessa construção de imagem de marca, considere isso. O cérebro, da mesma forma que rejeita o paradoxo da alta qualidade por preço popular, rejeita aquilo que não é acreditável por não ser real. Quando tratamos de marcas pessoais, isso é fundamental. Não é humano ser perfeito, e estamos falando de pessoas, ora bolas. Ao contrário das marcas corporativas, em que seria impossível cultivar um aspecto negativo do produto, nas marcas pessoais isso torna a marca mais próxima de todos nós, mais humana, mais real, mais parecida com a gente, e aí está o cerne das paixões inexplicáveis que estabelecemos com seres humanos.

É impossível não gostar de crianças naquela fase em que caminham de forma desengonçada com as pernas tortas, têm a cabeça desproporcional ao corpo, a barriga volumosa e pronunciam erradamente todas as palavras. Olhamos para elas e é impossível não sorrirmos apaixonados com essas imperfeições. Essa imagem mítica nos remete ao útero materno, à infância, quando as coisas eram extremamente simples e éramos muito mais felizes convivendo harmoniosamente com nossos defeitos. Não deixa de ser um resgate simbólico da nossa vida deixar-se levar pela emoção com os filhos e de repente se ver sentado no chão da sala, como um idiota, fazendo um monte de coisas sem sentido para ganhar apenas um sorriso desajeitado daquele bebê. É a pureza da imagem imperfeita dos bebês que nos faz vulneráveis a uma paixão enorme por eles.

Os grandes ídolos cultivam manias e alguns comportamentos estranhos que os fazem mais humanos perto de nós (meros mortais), e isso reforça o valor de marca deles. Inconscientemente ou não, deixam transparecer alguns defeitos, que acabam por nos aproximar (pela fragilidade), e estabelecemos um vínculo mais forte ainda. Roberto Carlos (o Rei) é paixão nacional, e as histórias (verídicas ou não) sobre suas manias e superstições o tornam muito mais próximo de nós (meros súditos), que passamos a nutrir mais respeito ainda pela pessoa e pelo profissional (quando ele admite publicamente que está se tratando de algum problema, fica mais humano ainda). Zeca Pagodinho, outro astro da música, é muito conhecido (e amado) pelo folclore que existe em suas manias e hábitos pessoais (não necessariamente ligados à música nem necessariamente politicamente corretos), mas que o deixam extremamente humano, próximo e real com suas virtudes e defeitos.

A construção da sua marca pessoal deve levar em consideração essa lei. Faça um inventário pessoal das suas manias e hábitos e escolha aquele que pode dar colorido à construção da sua imagem. Você não quer ser visto como aquelas famílias dos comerciais americanos de margarina em que todos sorriem no café da manhã com cara de bonecos de plástico, não é? Então vá em frente. Mas use o bom senso.

Lei número 4: Construa uma história

Toda grande marca no mundo corporativo tem uma imagem mítica que a faz diferente das outras e ajuda a estabelecer um vínculo muito mais forte com seus consumidores. Grandes marcas arregimentam legiões de fãs pelo mundo inteiro, que reproduzem essas histórias e colaboram para construir o mito da marca. Verídicas ou não, essas histórias embalam nossos sonhos pessoais, dão colorido à relação que temos com a marca e estabelecem laços mais fortes, além do mero consumo. É como se inconscientemente disséssemos: que história legal! Ela tem muito a ver comigo, com meus sonhos, crenças e aspirações.

Existem exemplos de grandes marcas do mundo corporativo que se tornaram gigantes mundiais depois da resolução de uma crise, de uma virada espetacular, de uma trajetória diferente, de uma grande jogada de marketing e se transformaram em marcas fortes porque o fato em si virou emblema mítico daquela trajetória bem-sucedida. O sucesso contado numa história acaba contagiando outros consumidores, que se identificam com ela, contam-na a outros e a ampliam até que acaba virando parte da mitologia da marca. Esse é o efeito de uma história na construção e consolidação dos valores de uma marca forte.

A história folclórica da rebeldia ocorrida no início da empresa Virgin, na Europa (que hoje é um império que vai de lojas de discos, refrigerantes de cola e ferrovias à companhia aérea Virgin), é um exemplo típico. Seu fundador, Richard Branson, tem uma capacidade fantástica de incorporar personagens, debochar de seus competidores no mercado e criar novos fatos que alimentam a mídia, cultuam a imagem dele e impulsionam a companhia de forma espetacular. O sucesso da marca Virgin é o sucesso e a história fascinante sobre o folclore do empresário/personagem Richard Branson.

A mítica da marca TAM deve muito à história pessoal de seu fundador, o comandante Rolim. Quem não se identificaria com a história real de um homem que a partir de um pequeno avião construiu uma companhia disposta a lutar com os gigantes da aviação no Brasil? Quem não ficaria emocionado com essa história de vida? Ela alimenta o mito do guerreiro que existe em todos nós. Rolim lutou com total desproporção de forças, sozinho com um único avião, num segmento ultracompetitivo formado por gigantescas companhias, e venceu. Quem não se identificaria (consciente ou inconscientemente) com essa luta entre o "bem e o mal", essa luta entre Davi e Golias? Quem não ficaria sensível a pelo menos uma experiência com essa marca? Quem não se identificaria com a pessoa que inventou o tapete vermelho, símbolo de foco nos clientes? Quem não se identificaria com o comandante dono da companhia que recebia os passageiros na porta com um aperto de mão?

Com certeza, muita gente não sabe toda a verdade sobre o que leu ou ouviu. Ou sabe porque alguém disse ter escutado de um amigo, que por sua vez ouviu numa palestra em algum lugar. O importante é que algumas dessas histórias acabam sendo reproduzidas no boca a boca, são incorporadas ao imaginário do mercado e vão ganhando força até se tornarem parte essencial da marca.

arthur Bendee

Da mesma forma, nossos ídolos possuem histórias reais e outras inventadas que se reproduziram (às vezes fora de controle) e criaram uma aura especial sobre essas marcas pessoais. Dramas de vida, quedas, sucessos fantásticos, histórias pessoais de sofrimento, de violência, de rebeldia, de exemplos de vida tornam-se componentes (verídicos ou não) que reforçam a mítica e o valor da marca.

Mitos são histórias contadas que ajudam a entender nossas experiências de vida, angústias, sonhos e dramas pessoais. Todos nós precisamos de mitos. Boa parte dos enigmas da nossa vida está lá, nessas imagens e histórias. Arquétipos e mitos são comuns na publicidade e contribuem inconscientemente para estreitar nossos laços com elas. A figura do grande pai, o mito do vencedor, o arquétipo do guerreiro, a figura da grande mãe, todos podem ser encontrados nas páginas de revistas e nos filmes de TV do mundo todo e fazem parte do nosso imaginário coletivo.

Em personal branding, é vital para o sucesso criar e alimentar histórias para consolidar a genética e os valores da marca de personalidades e celebridades. É preciso construir e contar uma história de acordo com sua trajetória de vida, de preferência real, que tenha relevância para sua audiência e seja coerente com os valores com os quais estamos trabalhando. De nada adianta construir uma história que não tenha vínculos com os valores propostos no DNA de marca ou que seja fora do contexto.

Relembre passagens significativas da sua vida, destaque fatos que possam dar brilho e singularidade à imagem a ser construída. Reveja suas vitórias e analise os grandes fracassos. Trabalhe os fatos e momentos marcantes que reforçam sua trajetória de vida pessoal e profissional. Essa história deve reforçar seu conceito, seus valores e sua promessa de marca. Se você trabalhar com valores como ética e honestidade na sua marca e contar uma história mentirosa, correrá sério risco de ser desmascarado. Dar brilho aos fatos e realçar momentos importantes para você não quer dizer fraudar sua história pessoal. Você estaria construindo sua marca sobre terreno pantanoso, e não é assim que se criam marcas fortes.

Construa sua história com inteligência e extremo bom senso, porque é ela que vai proporcionar emoção e dar alma à sua marca. E lembre--

-se: histórias podem ser contadas de diferentes maneiras. Seus sinais visíveis contam parte dela. O que você escreve conta outra parte. A maneira como se relaciona conta outra ainda. Sua história é o conjunto você e seus sinais. Só não pense em subestimar a inteligência da audiência.

Lei número 5: A imagem pessoal é apenas uma parte do processo

A imagem pessoal não é tudo. Ela é parte fundamental do processo, mas não é tudo. Ao longo de vários capítulos, falamos o tempo todo em gerenciamento de marca pessoal. Personal branding é muito mais que imagem pessoal. Sua imagem é uma parte do que você significa (a parte visível, a embalagem, a aparência) como marca.

Se você pensar sempre como empresa, entenderá o que quer dizer essa lei. Nenhum produto no mundo vende somente pela embalagem. Pense no conjunto todo: no produto você, na embalagem você, no marketing da sua marca, na comunicação dela, no gerenciamento do seu DNA de marca, na sua genética e nos seus valores. Você precisa saber como comunicar sua diferença, sua promessa de valor, e também como chegar lá. Ou seja, estabeleça sua estratégia de marca e um plano com movimentos táticos coerentes com a estratégia. Para ter uma ideia clara da diferença entre imagem pessoal e personal branding, imagine uma caixa de sabão em pó (para dar um exemplo extremo) que tem uma embalagem linda, mas só uma embalagem linda. Você acredita que ela vai ser um sucesso de vendas? Pode até ser, num primeiro momento, e se o produto for muito bom poderá ter outras vendas. Mas ele só seria vendido se estivesse no lugar certo, na hora certa, disponível para o público certo, na quantidade certa, num preço compatível. Ou seja, ainda assim, precisa de estratégia e de um plano para vender.

Muitas empresas e profissionais trabalham com a terminologia marketing pessoal para definir imagem pessoal. Cuidam do seu visual, ajustando-o aos seus gostos pessoais, dão coerência ao conjunto e certamente podem lhe proporcionar uma aparência elegante e condizente com sua posição social. Podem até ensiná-lo a harmonizar seu biótipo com suas roupas e acessórios. Tudo perfeito, e você fica lindo. Mas para ser bem-sucedido é preciso muito mais do que ficar elegante. Se for só isso que você deseja, tudo bem. Mas, se acredita no poder da marca pessoal e quer ter sucesso, necessita de personal branding. Você precisa gerir sua marca da maneira mais profissional possível, construir sua diferença de marca sem se basear apenas nas roupas e no corte de cabelo. Tem de impregnar a audiência com seus valores e impressionar positivamente sua rede de relações. Precisa de visibilidade e notoriedade para sua marca. Isso envolve todos os sentidos, todos os sinais da marca, seu conteúdo, seu posicionamento, seu preço, os canais que vai utilizar para vender sua marca e como se relaciona com o público.

Lembre-se dessa lei. Sua imagem pessoal é fundamental para ter sucesso na carreira e conseguir uma gestão eficiente da sua marca, mas continua sendo uma parte do processo de personal branding.

Lei número 6: Entenda a lógica do seu mercado

Uma lei vital para ter uma gestão eficaz de sua marca e alcançar sucesso na carreira é compreender a lógica que envolve sua audiência e descobrir quem são seus públicos. Para marcas corporativas, trabalhamos com a ideia de que não existem só os consumidores finais nesse processo, mas há uma série de outros públicos que estão na cadeia do negócio e são tão ou mais importantes do que o consumidor final.

Para entender melhor, pense num produto que faça parte da vida de todos nós: os calçados. Agora imagine que você administra uma indústria de sapatos femininos. Você cria um bom produto com uma ótima embalagem e tenta colocá-lo nas lojas. Vamos tomar como exemplo apenas os públicos da porta da sua indústria para fora.

O primeiro problema é que só no Brasil você tem milhares de pontos de venda espalhados nesse imenso território. Você precisa colocar seu produto nas vitrinas para atrair os consumidores. Para isso, tem de organizar uma equipe de vendas que acredite no seu produto e esteja disposta a comercializá-lo no varejo de calçados em todo o Brasil. Daí se conclui que existe um novo público a ser trabalhado com a sua marca: os vendedores. Se eles não acreditarem, nada feito. Então, precisam comprar os valores da marca, a promessa da marca e entender o que ela significa. E para isso você terá de se comunicar e se relacionar com esse público intermediário.

Os representantes da sua marca, confiantes no valor que ela representa, terão como objetivo convencer os compradores do varejo de calçados em suas visitas de venda. Se eles não acreditarem no seu produto, nada feito. Você não terá seu calçado nas vitrinas das lojas, por isso eles são fundamentais nesse processo. Esse é o segundo público a ser trabalhado. É necessário criar materiais promocionais e entender as necessidades específicas desse público, o que é importante para ele.

Se você for aprovado por esse público, ótimo, estará nas vitrinas. Tudo pronto? Ainda não. Se desconsiderar a força dos gerentes nas lojas, talvez encontre seu produto num cantinho escuro da vitrina ou, pior, lá no fundo da loja, totalmente escondido. O gerente também pode "esquecer" seu material promocional (que custou uma fortuna) e ele acabará mofando no depósito. Dessa forma, o gerente passa a ter uma importância estratégica como público no seu negócio. Descubra uma maneira de motivar e influenciar os gerentes dos varejos de calçados. Esse é o terceiro público.

Porém, ainda resta um quarto público a ser trabalhado, que são os consumidores do produto. Eles precisarão saber que a sua marca existe, ser atraídos por ela e ter ideia de onde podem encontrá-la. Se não forem à loja, nada feito, e isso representa um fracasso, porque o comprador daquela loja nunca mais vai comprar de você. Assim, o público consumidor final também é muito importante.

Você pode estar no melhor lugar da vitrina, com uma exposição muito boa, e ter todo o seu material promocional exposto na loja. Tudo perfeito. O consumidor foi atraído, entra na loja e descobre que o seu lindo produto está lá (tudo perfeito). Ele se interessa, pede para experimentar, gosta (fantástico!), pergunta a opinião do balconista e ele não responde nada... só faz uma expressão apática e oferece um outro, que afirma ter muito mais qualidade. Então, toda a sua comunicação desabou nas mãos de uma única pessoa: o balconista. Esse é o seu quinto público a ser trabalhado, estratégico nessa cadeia do negócio.

Tudo isso só revela que o seu público pode não ser aquele que você imagina. Desenhe toda a cadeia do seu negócio numa folha de papel. Pense no mercado como um todo. Monte uma estrutura que permita visualizar a relação lógica entre cada público que possa existir entre você e seus alvos finais. Descubra quem pode especificar a sua marca, quem tem poder de influência na decisão de compra e quem realmente determina essa compra. Entenda como funciona a lógica de compra do seu mercado para saber onde se encaixa a sua marca e que públicos estão envolvidos nesse processo.

Isso é vital para determinar a estratégia de venda da sua marca no mercado. Se for um palestrante empresarial, pense no mercado e defina que tipo de empresa poderia ser alvo dos seus serviços. Descubra em que ramo de negócios e em que porte de empresa seu tema se adapta melhor, em que áreas ele se ajusta mais, onde é imprescindível. Departamento de vendas? Recursos Humanos? Logística? Departamento financeiro? Avalie como deve funcionar o mecanismo de compra internamente. Quem pode ficar interessado na sua palestra? Quem pode ser seu especificador, na empresa? Quem poderia avaliar seu trabalho e convencer tecnicamente outras áreas estratégicas? Esse público poderia ser de fora da empresa, como no caso das consultorias? Finalmente, pense em quem decide. De que mecanismos dispõe para atingir cada público e como deve funcionar sua comunicação de marca pessoal.

Depois de mergulhar profundamente nessa análise, você vai descobrir quais mecanismos de comunicação e que tipo de exposição são necessários para chegar aos públicos certos, com a mensagem adequada a cada um, e onde eles estão. Sem essa análise, você pode ter toda a exposição do mundo, investir em propaganda convencional, possuir a melhor imagem pessoal e, mesmo assim, não atingir seus objetivos.

É essencial que, na sua estratégia de marca pessoal, você considere os públicos envolvidos e determine as cadeias lógicas do seu negócio. Não importa se você é advogado, médico, cantor, arquiteto, psicólogo ou presidente de uma grande empresa multinacional. Não importa o que você pretende vender ou a posição que deseja alcançar, todo mercado, todo negócio tem sua própria rede lógica de públicos. Se não fizer essa análise, poderá estar concentrando toda a sua energia nos públicos errados. Siga a lei número 6 e conheça a lógica do seu mercado.

Lei número 7: Sinergia é vital em personal branding

Em marcas corporativas, trabalhamos com a ideia de criar experiências memoráveis com a marca em todos os seus pontos de contato. Neste novo século, o que vale é o marketing da experiência. As pessoas não querem mais somente produtos, querem produtos com serviços, e as experiências com a marca tornam-se valiosas. É conquistar para sempre ou perder. Essa é a regra. Comprar carro não deve ser uma atividade tensa e nervosa, mas sim uma viagem num mundo de experiências e sensações marcantes que transformem esse momento num momento único.

Os produtos se vão, os serviços terminam, mas as experiências perduram para sempre na mente do consumidor. Quem não se lembra do cheirinho de couro e plástico que sentiu na primeira vez em que entrou num carro zero-quilômetro? Não importa se o carro era de luxo ou popular. Pegar a chave e acionar o motor, ouvir o barulho dos pneus no chão lustroso da concessionária e despedir-se do vendedor com um grande sorriso é um momento inesquecível para alguns.

Você pode ser surpreendido numa loja com um atendimento muito especial, além da conta, inimaginável, com uma vendedora muito simpática, uma música de fundo que traz boas lembranças, uma decoração linda que traduz o espírito da marca que está comprando, com um aroma agradável e, de repente, lhe oferecerem café numa xícara de porcelana!

O resíduo da experiência não está apenas num elemento. Não está somente no café (mesmo sabendo que o detalhe de tomar café numa xícara de porcelana torna esse momento diferente de todos os outros), na decoração isoladamente ou na simpatia da vendedora. Está na harmonia do conjunto. E essa harmonia dos sentidos nas ações é chamada de sinestesia da marca. Ela é fundamental para criar experiências diferenciadas e memoráveis com a marca.

Conforme Bernd Schmitt e Alex Simonson em *A estética do marketing*, "a sinestesia estabelece uma integração de elementos primários, como cores, formas, cheiros e materiais, com sistemas de atributos que expressam um estilo estético de marca ou de empresa. Embora as identidades sejam compostas dos elementos primários (visão, som, toque, gosto e aroma), uma percepção holística é o resultado".

Se você pensar na lei da sinergia (todos os elementos se reforçam e multiplicam o valor) e na sinestesia (visão holística para integrar vários sentidos e provocar uma sensação única) e levá-las para o campo das marcas pessoais, compreenderá a importância dessa coerência no conjunto a ser construído na mente da audiência. Cada ação deve reforçar o conjunto. Cada movimento tem de ser coerente com o significado. Essa visão holística precisa permear toda a sua marca pessoal, deve fundamentar-se nos seus valores de marca, no seu DNA de marca pessoal, e ser o filtro para a tomada de decisões que envolvam:

- sua imagem pessoal;
- sua forma de se relacionar com as pessoas;
- seu tom de voz;
- seus maneirismos;
- seu gestual;
- sua maneira de responder a e-mails e correspondências;
- a forma como atende no seu escritório;
- a maneira como trata as pessoas;
- sua forma de encarar as pessoas;
- sua forma de se apresentar em público;
- sua postura e seu caminhar;
- seu estilo pessoal;
- suas roupas e acessórios;
- as cores que melhor o representam;
- os tecidos e as texturas;
- seu perfume;
- seu corte de cabelo.

Personal Branding

E seus valores de marca pessoal devem determinar o tipo, a qualidade e a intensidade de exposição da sua marca. Devem servir de filtro para determinar também:

- os lugares ideais para frequentar;
- os tipos de eventos que têm sinergia com seus valores e com sua marca;
- as pessoas associadas à sua imagem – sua rede de relações;
- o visual do seu escritório, da secretária, do seu telefone celular;
- a decoração e a organização da sua mesa de trabalho;
- a pasta que você carrega todos os dias;
- o tipo e a aparência do computador na sua mesa;
- o jornal e as revistas que você lê e que ficam na sua mesa do escritório;
- o visual da sua recepção;
- o tipo de companhia aérea que você usa em suas viagens;
- a marca, o modelo e a cor de carro que melhor se encaixam na sua proposta.

Quanto mais holística for sua visão nesse processo, mais adequação e mais sinergia você obterá em suas experiências de marca pessoal. Lembre-se, não é só o visual que precisa ser harmônico e coerente; é o conjunto todo que deve indicar uma única direção. Você não pode dar sinais contraditórios, sob pena de deixar a audiência confusa quanto aos seus valores pessoais e ao significado da sua marca. Não hesite em questionar tudo à sua volta e livrar-se daquilo que não agrega valor à sua marca.

Lei número 8: Jamais subestime a audiência

Quebre as regras, rasgue os manuais, não ande pelos caminhos que já foram trilhados, não repita o que já deu certo (se já fizeram, é passado), trabalhe sempre na contramão, com prazer, com tesão, crie seus próprios métodos e reinvente as ações. Você pode (e deve) fazer tudo a seu favor.

arthur *Bendec*

É uma questão de vida ou morte para a sua marca. Só não subestime a inteligência da sua audiência, porque você vai se dar mal! Nunca esqueça que o melhor marketing do mundo não sustenta por muito tempo a venda de um produto ruim.

Você jamais vai conseguir enganar todo mundo durante muito tempo. E, se conseguir, terá prejuízos sérios, logo adiante. Se não for confiável, desista. Você pode projetar mudanças radicais para sua imagem e movimentos ousados para o futuro, mas sempre tome como parâmetro a ética e a verdade, respeitando seus princípios e valores.

Jamais aceite que o reconstruam como personagem de uma história que não é a sua. Isso certamente seria um retumbante fracasso. Recuse todas as saídas fáceis dos manuais e dos pretensos gurus do marketing de imagem. Fuja do charlatanismo dos especialistas em autoajuda melosa. Eles só vão conseguir deixá-lo sem energia para enfrentar as dificuldades. Aprenda e cresça com seus fracassos e reconheça suas limitações. Prepare-se para enfrentar a realidade, seja ela qual for. Entender isso já é meio caminho andado.

Ao contrário das marcas corporativas, que se prestam a reformulações e alterações constantes de embalagem, você precisa ter um plano que respeite o núcleo da sua marca (suas origens, valores, princípios éticos e morais). Respeite a sua genética de marca. Em qualquer movimento, parta sempre do seu DNA de marca (atributos que o definem como marca). Ele é o grande filtro e o ponto de partida para todos os movimentos da sua carreira rumo ao sucesso. E não se esqueça: o mercado procura hoje, mais do que nunca, autenticidade. Isso é vital para uma marca de valor.

Lei número 9: Crie uma defesa como a do porco-espinho

Você é um porco-espinho ou uma raposa? Esta é a pergunta que abre o capítulo "O conceito do porco-espinho" do livro *Empresas feitas para vencer*, do americano Jim Collins. Ele cita o famoso ensaio "O porco-espinho e a raposa", de Isaiah Berlin, que dividiu a humanidade em porcos-espinhos e raposas inspirado numa antiga parábola grega: "A raposa sabe muitas coisas, mas o porco-espinho sabe uma coisa muito importante".

Na natureza, a raposa é muito astuta, esperta, traiçoeira, capaz de desenvolver muitas estratégias de caça, e fica o tempo todo espreitando a toca do porco-espinho à espera do melhor momento para atacar. Quando o porco-espinho sai, a raposa ataca e o porco--espinho se defende transformando-se numa couraça mortal. A raposa tenta, tenta e desiste. Todos os dias, há uma nova versão dessa batalha. E o ciclo se repete, porque cada um segue seus instintos de sobrevivência.

O interessante aqui é que um animal aparentemente muito astuto como a raposa não consegue dominar outro aparentemente muito fraco como o porco-espinho. Porque este possui apenas uma coisa: o domínio de uma defesa inatacável. Jim Collins continua nessa linha: "As raposas atacam em várias frentes de uma vez e veem o mundo em toda a sua complexidade. Elas se espalham ou se dispersam e se movem em muitos níveis. Os porcos-espinhos, por sua vez, simplificam um mundo complexo e o transformam numa única ideia organizadora, um princípio básico ou um conceito que unifica e orienta tudo". O autor propõe essa lógica para empresas. Empresas realmente excelentes – feitas para vencer – conseguiram essa simplificação poderosa (o conceito do porco-espinho) baseadas na intersecção de três dimensões:

1. Escolher uma atividade na qual você possa ser o melhor do mundo.
2. Acionar o seu motor econômico.
3. Ter paixão por essa atividade.

O conceito do porco-espinho de Jim Collins se ajusta também a pessoas e à sua marca pessoal. Adaptei essas três dimensões para o universo profissional. Veja o poder das três juntas:

Faça algo que tenha valor no mercado

Isso é crucial. Você precisará descobrir uma habilidade especial, um conhecimento diferenciado, uma forma de fazer, um jeito de atuar. Algo que tenha valor no mercado e em que você possa apostar. Algo que goste de fazer. Algo em que se concentre e que lhe dê tanto prazer que não vê as horas passarem.

Reveja seu patrimônio de marcas e reflita sobre isso. Analise cada aspecto que você listou em sua coluna de ativos. Aquilo que faz muito bem e que sempre o ajudou até aqui. Pense nos seus projetos que deram certo e descubra o que estava por trás de cada um. Talvez haja ali uma habilidade até então não valorizada ou uma área de conhecimento que você domine muito bem. Descubra o que lhe dá prazer, o que faz de melhor e que tem valor no mercado.

Se você não sabe, pense no seu patrimônio de marca e veja se é possível construir essa posição diferenciada juntando vários aspectos dos seus ativos. Pense na sua especialização. Pense no conjunto de habilidades como hifenização. Você precisa encontrar isso, mas reflita bem: deve ter valor de mercado. De nada adianta se concentrar numa coisa que você faça muito bem mas pela qual ninguém vai querer pagar.

Concentre-se em ser o melhor do mundo

Nada é mais importante que a excelência. Você precisa se concentrar nisso. Se já é bom, não se contente com isso, busque mais. Os orientais têm um ditado que diz o seguinte: "Quando você achar que já é muito bom, tente segurar o vento com as mãos". É assim. Nunca pare de aprender e de procurar mais. Estabeleça metas ousadas nesse sentido, sempre maiores e mais desafiadoras. Não se conforme em acreditar que já sabe o bastante ou que é muito bom no que faz. É preciso mais, é preciso ser o melhor do mundo nisso. É preciso estabelecer o padrão, ser a referência.

Tenha paixão pelo que faz

É incrível quando lidamos com alguém que é apaixonado pelo que faz. Seus olhos brilham. É sempre muito melhor falar com quem gosta do que faz. É muito melhor fazer negócio com os apaixonados pelo que fazem. Não interessa se é um pintor, um instalador hidráulico, uma secretária ou um engenheiro. As pessoas que fazem o que gostam deixam claro isso. Elas nos encantam e nos fazem pagar muito mais para tê-las ao nosso lado.

Ter paixão pelo que faz ajuda você a tirar o pijama na segunda e enfrentar uma quarta-feira pesada que parece não terminar nunca. Quem tem paixão pelo que faz suporta melhor a agenda apertada, controla melhor o estresse e tem uma vida mais prazerosa, produtiva e feliz.

A adaptação da teoria do porco-espinho de empresas vencedoras para profissionais excelentes propõe juntar estas três dimensões: concentrar-se numa atividade com valor de mercado, buscar a excelência total nesse aspecto – ser o melhor do mundo nessa atividade – e nutrir grande paixão por isso.

Quando você conjuga essas três dimensões, torna-se imbatível. Ao entrelaçar esses três aspectos, cria a couraça do porco-espinho contra as crises de mercado, as oscilações da economia, os solavancos da carreira e as dificuldades das empresas. Profissionais que conseguem trabalhar sua marca com esses três aspectos viram estrelas do mercado. São desejados e disputados onde nunca falta uma nova oportunidade.

Imagine a seguinte analogia proposta por Jim Collins: "Suponha que você tivesse condições de construir uma vida profissional que passasse nos três seguintes testes: primeiro, você está fazendo um trabalho para o qual tem um talento genético ou divino e talvez possa se tornar um dos melhores do mundo na aplicação desse talento. [...] Segundo, você está sendo bem pago para fazer o que faz. [...] Terceiro, você está fazendo um trabalho pelo qual está apaixonado e que ama fazer. Se puder caminhar em direção à intersecção desses três círculos e traduzir essa intersecção em um conceito simples e cristalino, que oriente suas escolhas na vida, então terá um conceito porco-espinho só seu".

A teoria do porco-espinho também funciona como um filtro na tomada de decisão sobre sua marca pessoal e sua carreira: a oferta de um novo emprego, uma possível troca de segmento, um novo negócio, uma sociedade, uma nova posição na empresa. Se você puder juntar as três dimensões, criará seu conceito de porco-espinho.

Lei número 10: Faça alguma coisa da qual se orgulhe no futuro

Minha última lei diz respeito a praticamente tudo o que discutimos até agora. Fazer alguma coisa da qual nos orgulhemos no futuro talvez seja a mola propulsora mais influente para qualquer virada na carreira e a base para qualquer plano de marca pessoal: uma grande visão lá na frente, um grande objetivo capaz de mobilizar todas as nossas forças, um grande objetivo que nos tire da zona de conforto, uma grande visão aglutinadora de todos os nossos esforços.

Você já imaginou passar toda a vida sem construir nada do qual se orgulhe na velhice? Não sei como soa isso para você, mas para mim a ideia de não construir nada diferente incomoda muito.

Boa parte das pessoas não pensa nisso. Apenas vai tocando a vida em frente. E talvez essa seja a razão por que as pessoas têm tantas desilusões e uma vida profissional que se mantém entre o tédio e a mediocridade, entre o estresse e a infelicidade na correria diária do mercado.

Não falo de nada excepcional (apesar de achar que devemos mirar sempre nas estrelas para alcançar as nuvens), mas de coisas de que possamos nos orgulhar no futuro. Coisas que nos farão entrar na velhice com a alma plena (sejam elas pequenas ou grandes), que sintamos orgulho de ter realizado. Esse é o sentido maior de construir uma marca pessoal. Esta é a essência do gerenciamento de uma marca: um motivo mobilizador. Você já tem o seu?

Capítulo final

iferenciação ou extinção. Infelizmente, isso não é opcional

Tudo o que defendemos o tempo todo ao longo destes 11 capítulos diz respeito a uma única coisa sobre marcas: diferenciação. Sob diferentes ângulos, com diferentes mecanismos, você deve ter constatado que falamos sempre de gerar valor a partir da diferenciação. Para marcas, isso é uma coisa sagrada. Tudo o que fazemos em estratégia tem um objetivo: criar um monopólio de valor com base no estabelecimento de uma posição reconhecida como diferenciada. Em carreiras e em estratégias de marca pessoal, a lógica é a mesma. Todos os movimentos em direção ao futuro devem levar em conta esse objetivo maior. Toda a estratégia tem de ser construída em torno dessa ideia. Infelizmente, isso não é opcional num plano eficaz de marca pessoal. Ou você se diferencia ou se extingue. Não há saída mágica. Não existem saídas fáceis. É diferenciar-se ou tornar-se irrelevante no mercado.

VOCÊ IGUAL A TODOS OS OUTROS = COMMODITY = VALOR DE MERCADO.
VOCÊ DIFERENTE = MONOPÓLIO DE VOCÊ MESMO = VALOR PREMIUM.

O valor está na diferença. Os iguais não têm valor. Produtos sem "marca" são comprados em balaios abertos no mercado. Ou são os genéricos que compramos na farmácia por um preço bem inferior ao dos remédios de "marca". Quando você é genérico, é vendido só pelo nome do princípio ativo (sua profissão, mais nada). Não há diferença entre você e outro com o mesmo princípio ativo. O valor é bem mais baixo que o dos de marca e tabelados. Os genéricos são encontrados em qualquer esquina e ficam armazenados na parte mais escondida da farmácia. Essa é a lógica de mercado. Não me culpe. Não fui eu que a inventei! Mas essa lei é implacável com a acomodação e com a medianidade numa era de excesso de oferta profissional.

Estratégia quer dizer ser diferente

Como diz Michael Porter (o pai da estratégia moderna), "estratégia quer dizer ser diferente". Significa escolher deliberadamente um conjunto diferente de atividades para fornecer um mix único de valor. É isso que você precisa ter em mente ao refletir sobre sua marca pessoal. Não importa o tamanho do plano ou a complexidade da análise que você vai empregar no seu projeto de marca pessoal. O importante é que jamais se esqueça de que seu projeto de vida deve ser criar uma diferença significativa de valor que o torne único no mercado, desejado, valioso, singular.

Lembre-se dos protozoários!

Protozoários? Sim. Este não é um livro de biologia, mas é bom você se apoiar na ciência (e nos protozoários) para fazer algumas reflexões sobre diferenciação. Existe um princípio chamado de Princípio de Gause da Sobrevivência por Diferenciação, ou PSD. Richard Koch fala das leis de Gause em um de seus livros, que reproduzo aqui.

O cientista soviético G. F. Gause realizou alguns experimentos muito interessantes com pequenos organismos. Ele colocou dois protozoários, da mesma família mas de espécies diferentes, num jarro de vidro com uma quantidade limitada de alimento. As pequenas criaturas conseguiram se entender e dividir a comida e ambas sobreviveram. A seguir, Gause pôs no jarro dois organismos da mesma espécie, com a mesma quantidade de alimento de antes. Dessa vez eles lutaram e morreram.

E o que isso tem a ver com marcas pessoais?

Segue a resposta, segundo Richard Koch: a primeira lição do Princípio de Gause de Sobrevivência por Diferenciação é que você quer que seus concorrentes sejam ao menos um pouco diferentes de você. Eles podem ser da mesma família, mas não da mesma espécie. Agora lembre-se de que existem cerca de 30 milhões de espécies na terra; assim, fazer da sua empresa *ou da sua marca pessoal* uma espécie diferente, se ela ainda não é, não deve ser impossível. Se dois organismos da mesma espécie competem no mesmo espaço com um mercado (alimento) limitado, eles lutam e morrem. Se forem diferentes, eles podem se entender e ambos viverão.

Publicitários e protozoários

Eu sei que a comparação pode ser injusta com a minha própria classe profissional (às vezes não), mas pense em famílias iguais de espécies iguais, que se vestem de maneira igual, vão aos mesmos lugares, comportam-se da mesma forma, leem e dizem as mesmas coisas, todos lutando por um lugar ao sol, com uma comida limitada (o mercado). Pense então em advogados de gravata apertada e terno bacana lutando por seu espaço no mercado. São todos iguais e disputam a mesma comida. Pense em arquitetos iguais concorrendo pelos mesmos projetos. Pense no número de médicos completamente iguais e na quantidade limitada de alimento oferecida pelos planos de saúde.

Acredite então em Darwin

No capítulo 3 de *A origem das espécies*, Darwin relata:

A luta [pela existência] será, quase que invariavelmente, mais severa entre os indivíduos da mesma espécie, pois eles frequentam os mesmos lugares, exigem os mesmos alimentos e estão expostos aos mesmos perigos. [...] Como as espécies do mesmo gênero em geral têm [...] alguma semelhança nos hábitos e na constituição, e sempre na estrutura, a luta será em geral mais severa entre espécies do mesmo gênero, quando entrarem em competição umas com as outras, do que entre espécies de gêneros distintos. [...] Podemos ver vagamente por que a competição deve ser mais severa entre formas aliadas, as quais ocupam quase o mesmo lugar na economia da natureza.

Diferenciação é um conjunto, uma soma especial de valor único

Ainda conforme Richard Koch, a conclusão é que, se você está num mercado em que só existe uma dimensão de concorrência – e você não é o melhor nessa dimensão –, precisa criar um segmento separado no qual outra dimensão seja importante. Diferenciação não é exatamente o mesmo que especialização. Na verdade, é mais fundamental.

Diferenciação não significa apenas especializar-se; para se diferenciar com sucesso, você tem de encontrar seu espaço no mercado, e a sua produtividade – *seu valor* – em comparação com a do seu maior rival deve ser mais alta em relação a todas as outras áreas em que você poderia se especializar. Também precisa diferenciar sua maneira de ganhar a vida. Acentue as diferenças entre você e o concorrente mais próximo até chegar a um nicho único. Diferenciação não é a descrição de um estado; é um conjunto de ações para aumentar as diferenças *percebidas*.

Seja você mesmo!

Parafraseando o cantor Gabriel, o Pensador, recomendo: seja você mesmo, mas trabalhe insanamente para não ser sempre o mesmo. O seu valor no mercado será quantificado na medida exata da sua capacidade de reagir sempre, de ser pró-ativo, de ser um ativista maluco em torno da ideia de ser único, singular, diferente. O meu recado final é: seja você mesmo, mas nunca se conforme com você! É maluco o que estou dizendo? Não sei. Mas minha teoria é que devemos fazer do inconformismo nosso melhor sentimento, nosso melhor amigo.

Minhas desculpas

Desculpe-me se pressionei você em excesso ao longo destes capítulos; se o encurralei e o coloquei contra a parede em muitas horas; se apertei sem dó justamente onde mais doía e se em algum momento peguei pesado demais em algumas reflexões. Sei que associei você até com protozoários (essa maldade você nunca tinha imaginado). Perdoe-me. Mas confesso que fiz por gosto! Perdoe-me assim mesmo. A intenção é das mais nobres, acredite. O objetivo, desde o início, foi pôr o dedo nos pontos mais doloridos. E apertar. Foi provocar você na sua zona de conforto e com isso fazê-lo refletir mais sobre você mesmo e sobre seus sonhos. Isso para mim é nobre. Para você, não?

Sei que, nos seminários e palestras que promovo sobre esse tema, a angústia muitas vezes toma conta da plateia. Vejo todo mundo sorrindo no início, quando sou apresentado (esperando mais uma palestra de autoajuda ao som de Enya), e depois a coisa muda completamente. Não há como não ver e não ficar tocado com isso. Vejo o incômodo nos olhos de algumas pessoas. Em outros, vejo até ódio! (por sorte e por educação da plateia, até agora ninguém ainda me jogou tomates ou riscou meu carro na saída).

Dolorido e surpreendente

Às vezes, também sinto desconforto. Refletir e sugerir reflexões sobre nossas fragilidades e pontos críticos dói um pouco. Porém, acredito que o melhor caminho é sempre a reflexão profunda. E o primeiro passo deve ser sempre a autocrítica. Não há receita de bolo, não há mágica no marketing. Não há mãozinhas levantadas para o céu e olhos lacrimejantes de emoção ouvindo palavras de conforto. Respeito, mas acho frágil. A fórmula costumeira da emoção fácil não resiste ao choque de realidade do dia seguinte. Acredito no contrário e usei a mesma lógica neste livro. Por isso fiz uma advertência nas primeiras páginas. Como nas bulas de remédio na parte que relaciona os efeitos colaterais: dores, palpitações, tonturas (momentos de ódio pelo autor), tremores, visão nublada, vontade de bater a cabeça na parede, de rasgar o livro. Mas continuo acreditando que essa dor momentânea da reflexão ainda é a maneira mais valiosa e o caminho mais seguro para as grandes decisões. E, para mim, a sua felicidade profissional é uma delas, não é?

Estranheza e gratificação

Nas palestras, diversas vezes, o meu sentimento é de estranheza, confesso. Já saí de muitas delas tão incomodado quanto a plateia. Mas é bem gratificante e sempre um grande prazer receber e-mails, dias depois, com relatos de pessoas que se revoltaram, choraram, mas usaram esse momento para uma grande virada na vida em direção aos seus sonhos mais grandiosos. De pessoas que trocaram de emprego depois disso, que se repensaram por completo. De gente que está aplicando os mecanismos e as ferramentas recomendadas e que se encontrou de novo. Essa é a maior gratificação que alguém pode receber quando se predispõe a escrever ou a falar em público e defender ideias sobre marcas e pessoas. Eu espero que este livro tenha o mesmo efeito. E que esta parte final não se encerre com certezas, mas com muitas perguntas latejando no seu cérebro.

Estrelato ou anonimato. Já fez sua escolha?

Por isso, minhas reflexões finais continuam sendo perguntas. Paciência. Não há outra forma. Preciso provocar mais alguns questionamentos finais porque planejar é essencialmente um grande exercício de fazer perguntas à exaustão (nunca se esqueça disso: se você ainda não encontrou as respostas, é porque não se perguntou o suficiente ou ainda não se fez as perguntas certas). O final deste livro não poderia ser de outra forma. Mais uma pergunta, então. Depois de ler tudo isso, você está feliz com sua posição? Sim? Não? Optou por uma posição de estrelato ou de anonimato?

Tenha certeza de que a responsabilidade é só sua em qualquer uma delas. E que você, a partir de agora, está condenado à liberdade! A boa notícia é de Tom Peters. Você, agora, acabou de ganhar um novo patrão: olhe-se no espelho. É você!

Buscar o estrelato ou permanecer no anonimato passa a ser responsabilidade desse patrão. E você decide se ele será justo com você ou não. O único detalhe é que no futuro só poderá se queixar de você mesmo e de mais ninguém. Acabaram-se as operações de disfarce, as lamúrias e as justificativas para odiar a segunda-feira. É você e sua consciência. É você nu na frente do espelho!

Um novo contrato de trabalho

Pare tudo e anote agora mesmo a data de hoje numa folha de papel. Vamos lá, rápido. Anotou? Então, a partir de agora, você tem um novo contrato de trabalho com você mesmo. Parabéns! Você determina quanto vai ganhar, que posição vai ocupar, quando e como vai trabalhar, como quer ser avaliado, qual é seu plano de recompensas e bônus e como vai escrever seu legado de marca no mercado. Você é seu próprio empresário.

Não culpe ninguém! Não espere nada! Faça alguma coisa!

(cartaz afixado no vestiário do New York Jets pelo então técnico, Bill Parcells – citado no livro Re-imagine, *de Tom Peters)*

A frase acima resume muito bem a reflexão maior que este livro propõe. Personal branding começa com atitude. Começa no momento em que passamos a entender que ninguém mais do que nós é responsável por nossa marca pessoal. Não entregue jamais isso a ninguém. Não terceirize seu maior patrimônio. Você é o mais importante e o único responsável pela relevância ou pelo anonimato da sua história.

VOCÊ = SEUS SONHOS. VOCÊ = SUAS ATITUDES.
VOCÊ = SEU CAMINHO. VOCÊ = SEU VALOR NO MERCADO.

Bibliografia e referências

AAEKER, David A; JOACHMSTHALER, Erich. *Como construir marcas líderes*. São Paulo: Futura.

AAKER, David A. *Criando e administrando marcas de sucesso*. São Paulo: Futura.

AAKER, David A. Marcas: *Brand Equity. Gerenciando o valor da marca*. São Paulo: Negócio.

CAMINHA, Vice-almirante João Carlos Gonçalves. *Delineamentos da estratégia*, vol. 2. Rio de Janeiro: Biblioteca do Exército.

CLAUSEWITZ, Carl von. *Da guerra*. São Paulo: Martins Fontes.

CLAVELL, James (adaptação). *A arte da guerra, de Sun Tzu*. Rio de Janeiro: Record.

COLLINS, Jim. *Empresas feitas para vencer*. Rio de Janeiro: Campus.

DRUMMOND, Helga. *O jogo do poder*. São Paulo: Makron.

GHYCZY, Tiha von; OETINGER, Bolko von; BASSFORD, Christopher. *Clausewitz e a estratégia*. Rio de Janeiro: Campus.

HARREL, Keith. *Atitude é tudo. 10 passos para o sucesso*. São Paulo: Futura.

HERALD, Justin. *Atitude!* Fundamento.

KELLEY, Robert E. *Como brilhar no trabalho. Nove estratégias decisivas para ter sucesso*. Rio de Janeiro: Campus.

KOCH, Richard. *As leis do poder*. Rio de Janeiro: Rocco.

MANDELLI, Pedro. Revista *Você S/A*, maio de 1999, artigo "Sua carreira é problema seu". São Paulo: Abril.

MINARELLI, José Augusto. *Networking*. São Paulo: Gente.

MOSES, Barbara. *A inteligência na carreira profissional*. Porto: UP Negócios.

NAISBITT. John. *High Tech, High Touch*. São Paulo: Cultrix.

NORDSTRÖM, Kjell A.; RIDDERSTRALE, Jonas. *Funk Business*. São Paulo: Makron Books.

PASSOS, Alfredo; NAJJAR, Eduardo R. *Carreira e marketing pessoal*. São Paulo: Negócio.

REIN, Irving; KOTLER, Philip; STOLLER, Martin. *Marketing de alta visibilidade*. São Paulo: Makron.

RIES, A. *Foco*. São Paulo: Makron.

RIES, Al; RIES, Laura. *As 22 consagradas leis de marcas*. São Paulo: Makron.

ROSA, Mário. *A era do escândalo*. São Paulo: Geração.

ROSA, Mário. *Reputação. Na velocidade do pensamento*. São Paulo: Geração.

TROUT, Jack. *Diferenciar ou morrer. Sobrevivendo em uma era de competição mortal*. São Paulo: Futura.